有種人天生就是惡魔，她曾被如此形容過。

U0022972

惡魔面具

張篤（棟你個篤）

目錄

01 降生 P.6

02 第一次 P.

03 任務 P.18

04 約會 P.24

05 第二個 P.

06 報復 P.36

07 怨 P.42

08 女鬼 P.48

09 驅鬼 P.56

10 死了 P.62

11 調情 P.70

惡魔面具

12 初次 P.78

13 容貌 P.86

14 高凡 P.94

15 騙子 P.100

16 暗湧 P.106

17 下雨的黃昏 P.114

18 尋求改變 P.122

19 Pretty P.128

20 音樂 P.136

21 安排 P.144

22 見面 P.152

23 死亡 P.160

24 喪禮 P.166

25 照片 P.172

26 爸爸 P.178

27 壞掉的人 P.184

28 對話 P.192

29 沒有 P.198

30 漫步 P.204

31 幫助 P.210

32 細思極恐 P.218

後記 P.224

01

降

生

降 生

有種人天生就是惡魔，我曾被如此形容過。

在我有記憶以來，我都是孤單的。然而，我不知道是孤單令我變成了惡魔，還是因為我是惡魔而令我孤單。

我沒有爸爸，正確來說，爸爸在我出生後不久，就因為覺得我是天生的惡魔，害怕得離開了我和媽媽。

媽媽說，醫生和護士看見我出生時的模樣都嚇壞了，不過他們還是專業地替我檢查了身體，證明我的健康沒有問題後，才趕著要媽媽帶我出院。

印象中，我沒有上過學。但媽媽說其實我有上過小學一段短時間，只是我不知為何沒有丁點印象，也許是我的潛意識開啟了保護機制，令我不能記起那段往事。

在我到了入學的年紀，媽媽曾帶我走遍多間幼稚園，可是都沒有學校願意接收我。於是，她只好每天下班回家就教我認字、算術等等。

六歲那年，媽媽又帶我去了不同的小學叩門，我倒是清楚記得那些校長、老師們看著我時那驚恐的眼神。

最後，據媽媽說，我經過統一派位進了一所在家附近的小學。

惡魔面具

　　聽說我在那學校只待了一星期，其他同學都不跟我說話，表示不願意上學見到我，有些甚至在見過我一面後就突然出現很多怪異行為，輕則無故大哭不願睡覺，重則撞牆或自行剪掉頭髮。

　　這些同學的家長紛紛到學校投訴，說我的存在妨礙著他們的子女。

　　最後，學校要求我退學。

　　媽媽說她去了教育局求助，一開始他們說要時間處理，回覆得很慢很慢，就是一貫政府部門的作風；後來，媽媽忍不住帶著我上去求助，從此就由回覆得很慢，變成沒有回覆。

　　由那天起，我就大部分時間待在家裡，媽媽會把她所知道的都教我。

　　有時她會帶我上街，但我必須要戴上口罩和太陽眼鏡。

　　在我十八歲之前，我的日子就是這樣過。

　　然後，到我十八歲那天，媽媽離開了。不，她不是死了，她是嫁了給另一個男人，她把物業和錢都留下來給我，每月也會寄生活費給我，可是她再沒有在我面前出現過。

降 生

今天，我二十歲了。我把買回來的生日蛋糕放在桌上，脫下太陽眼鏡和口罩，為自己和蛋糕自拍了一張。

我端詳著熒幕上的自己，前方的瀏海有點稀疏，眼睛很大，但不是美人胚子那種明亮的大眼睛，而是像魚眼睛一樣圓圓卻了無生氣，嘴巴大大的裂成一個V字，嘴唇蒼白得看不出一點血色。

我唯一滿意的是我的皮膚，像雪一樣白皙無瑕。

我在房間取了一個袋子出來，內裡裝著我用媽媽的附屬卡網購的一條黑色連衣裙。縱使我在青春期時沒怎麼運動，但還是長得很高，身高有五尺八寸，聽說這是遺傳自爸爸。

我換上了連衣裙，我的身形瘦削，正好符合現代社會的美麗準則，穿起裙子實在好看，黑色的蕾絲顯得我的肌膚更加雪白。

我滿意地照了照鏡子，如果我的五官長得普通一點，加上這個身體，應該已足夠讓不少男生神魂顛倒，或者至少，我會擁有朋友，而不至於這樣孤單。

突然間，我有一個念頭，我想找人玩玩。

惡魔面具

　　我很喜歡一套叫《恐懼鬥室》的電影，電影中有一些遊戲，玩家要完成不同的任務，我覺得有趣極了，我很想有朋友陪我玩這個遊戲。

　　於是我打開電腦，進入了我的社交網站帳戶。我很早以前已開立了這個帳戶，可是我開了之後才想起，一個沒有社交的人為甚麼要用社交網站呢？所以我的朋友名單一直是空的。

　　不過我倒是讚好了不少專頁，除了各大傳媒的專頁，還有甚麼作家張篤、篤公、天使媛媛、奴工處、星夜出版、Thisdv、望日、唉瘋人等等，甚麼類型都有，好讓我即使不出家門也能一窺世界。

　　我把剛才自拍的照片上載成個人頭像，然後我邊用小匙吃著蛋糕，邊胡亂地在社交網站上瀏覽著找尋我的目標。突然，一個帳戶的個人頭像照片吸引了我，那是一張帶點型格的黑白照片，照片中是一個年青的、瘦削的男生，穿著一件白色上衣，外加一件黑色馬甲，很是時尚，他的名字是陳泰揚，我決定跟他聊聊。

02

第一次

第 一 次

「Hi。」我抖顫著指頭，發了一個訊息給他，畢竟這是我第一次跟陌生人聊天，還要是一個異性。

想不到，他立即就回覆了：「Hi。」

「我係Momo，嚟玩個遊戲交個朋友，好嗎？」我鼓起勇氣道明來意。

「好，玩《傳說對決》嗎？我carry你。」他說了令我難以理解的說話。

「咩係《傳說對決》？咩係carry？」我問。

「手遊呀！你冇聽過咩？」

噢，原來是手機遊戲，我對這些興趣不大。

我吃了一口蛋糕，然後又發出了一個訊息：「未聽過，不過我有更好玩嘅遊戲。」

「咩遊戲？叫咩名？」他問。

說起來，我真的還未為我自創的遊戲改名。

惡魔面具

　　我猶豫了一會，微笑著輸入了「Momo Challenge」這個名字。

　　我很滿意這個以我的英文名字改成的遊戲名。Momo是媽媽幫我改的名字，她說這名字可愛極了，而幸好媽媽的英文程度不錯，她教懂了我不少英文。

　　「哦，咁要挑戰啲乜？」他問。

　　「你願意接受挑戰？係一連串任務，一開始咗任務就唔可以後悔，要做到最後。」我不想友情太快中斷。

　　「要我接受挑戰冇問題，但你都要接受我嘅挑戰。」他回應。這男生真有意思，我喜歡。

　　我幾乎沒有考慮，就回應他：「好，我接受你嘅挑戰。」

　　他立即回覆道：「咁，為表男士風度，我先做你指定嘅三個任務，然後到我發出指令。」

　　「哈哈。」我樂得一個人在家裡發出了笑聲，然後收起了笑容，認真地輸入了第一個任務：「用刀片喺你手臂刻上我個名『Momo』，然後影相。」

第 一 次

「哦，我怕痛，你要等我一陣。」他回覆，我開始擔心他會放棄，或許第一個任務著實太難，我可能要調整一下，但也只能留待下一次，因為任務發出了就不想收回啊。

我看著熒幕，除了右下方的時鐘外，整個畫面都是靜止的。

21:12……21:13……21:14……21:15……我看著右下角的時間慢慢流逝，但是陳泰揚始終沒有回覆。

我按捺著自己，時間又再過了十五分鐘，我忍不住發了個訊息過去：「我等緊你呀！」

他很快便回覆：「就得啦，我怕痛。」

我捺著性子又再等候了十分鐘，他終於發了照片過來。

那是一張美麗的照片，照片中是一個男性的手臂，皮膚上那血紅色的「Momo」刻得很精緻，傷口還在滲著血，看來漂亮極了。

我不禁滿意地看著熒幕微笑起來，怎料他比我更加心急，他發送了一個訊息過來：「第二個任務呢？」

我回應：「第二個任務，你專心望住我頭像張相，望一個鐘。」

惡魔面具

他道:「冇問題,好簡單。」

我繼續發訊息過去:「畀埋第三個任務你,你睇完我張相就去瞓,要校鬧鐘4:20起身。」

「半夜4:20?」

「係。」我有點緊張,難道他想放棄?

「Ok!咁我起咗身就發訊息畀你。」

我似乎多慮了。

我滿意地合上手提電腦,微笑著把未吃完的蛋糕放進了雪櫃。

我要這個人完完全全屬於我。

我脫下連衣裙,走進浴室洗了個澡。我滿意地看著鏡中的自己,也許我這張臉並不如我以為般會嚇倒所有人,世上總有人會懂得欣賞我。

我抹乾身體穿上睡衣,把鬧鐘調校到4:20,然後便沉沉睡去。

03

任務

03

任 務

　　鬧鐘響起,我惺忪著從床上坐起來,然後關掉了鬧鐘。

　　我習慣性地亮了床邊桌子上的枱燈,然後拿起鏡子,但是,我在鏡中找不到自己。

　　不,鏡中人的確是我自己,我的動作和面部表情如實地反映在鏡中,那不是我自己是誰?

　　但鏡中人有濃密的瀏海、毫不像魚眼睛的可愛大眼、小得像櫻桃的紅唇,還有高挺的嘴巴。

　　那是一張所有女人都夢寐以求的美女臉孔。

　　我端詳著鏡中的自己,然後忍不住擠出了各種或可愛或性感的表情,過了良久,我終於嘆了一口氣,把鏡子放回桌上,然後合上雙眼。

　　我很清楚自己是在做夢,我已不是第一次做這種夢了,現實是我的模樣從來沒有改變過。

　　突然,鬧鐘再次響起,我惺忪著睜開雙眼,伸手把枱燈亮起,然後把鬧鐘拿到眼前。

　　4:20,剛才的果然是夢。

惡魔面具

　　窗外的天色仍是漆黑一遍，我撐著身子坐在床邊，確認了一下鏡中是我一貫的模樣。

　　我拿起手機，打開社交網站的通訊程式，發現陳泰揚還未發訊息給我，不禁有點著急，於是便發了個訊息過去：「重未起身？任務失敗嘅話，會有好嚴重嘅後果！」

　　「叮！」他旋即發了訊息過來：「準時起咗身啦。」

　　我這才放心地笑了一下，回覆他：「咁輪到第四個任務啦。」

　　「未得住，你唔記得我哋講好咗？」

　　「嗯？」

　　「我做齊你三個任務，就輪到你做我發出嘅一個任務。」

　　我確實是忘記了，直至他提醒我才記起。

　　想起要接受任務，我不禁有點緊張，難道他也想我把他的名字刻在手臂上？可是我怕痛啊！

　　我心驚膽顫地逐個鍵按著手機熒幕上的鍵盤，問：「咁，任務係乜？」

任務

我看著熒幕等待他回覆,過了將近五分鐘,他才傳來訊息:「第一個任務,一陣正午12:00喺尖沙咀九龍公園門口等我。」

「甚麼?」他的第一個任務竟然是要我出門見他?還要是在正午時分的尖沙咀街頭?

我不禁猶豫了,我這張臉孔真的可以見他嗎?

正當我不知該如何回覆時,他又傳來了訊息:「我想見你,你唔係話想同我做朋友咩?」

我不自覺地對著熒幕點點頭,「係呀,我想識朋友呀!」

「叮!」他又道:「而且我都用刀片刻咗你個名上手臂,如果你唔完成第一個任務,我都冇必要玩落去。」

我咬了咬下唇,指頭按了幾下熒幕,發出了訊息:「好,一陣見。」

他回覆了一個微笑的表情符號。

看看時鐘,現在才4:46,距離見面還有五個多小時。

惡魔面具

我關上枱燈，重新躺回床上，可是卻沒法入睡。

我不斷想著一會見面時會如何，我應穿甚麼衣服？我應在他面前脫下太陽眼鏡和口罩嗎？我應使用早前網購但從來沒有用過的化妝品嗎？他已見過我的頭像照片，見到我時應不會驚訝？跟媽媽以外的人相處是怎樣的？

我沒法停止我的思緒，也許我這次不只找到朋友，還能找到情人？

想到這裡，我不禁又伸手拿來了手機，問他：「你……有冇女朋友？」

等了半小時，都沒有等到他的回覆，他甚至連訊息都沒有讀，令我不禁擔心起來。

我在床上輾轉反側，沒法好好進睡，終於手機傳來「叮」一聲時，已是早上10:37。

「冇，我冇女朋友。」

我看到他這樣說，內心愈來愈期待，也愈來愈緊張。

04

約
會

約 會

　　我放下電話，抱起床邊一隻紅色的娃娃，那是我小時候媽媽買給我的，她說那娃娃的樣子跟我有點像，是芝麻街的角色，受全球很多小孩的喜愛。

　　我想，既然人們喜歡它，也許也有人會喜歡我？

　　我緊抱著娃娃又過了十分鐘，才起床走到衣櫃前，這幾年我用媽媽給的附屬卡網購了很多衣服，平時只會穿起在鏡子前給自己看，但今天我想認真打扮一下。

　　我特別喜歡黑色的衣服，因為能顯得我的皮膚更加雪白。

　　最後，我挑選了一件黑色雪紡上衣，配上紗裙，我滿意地照著鏡子，覺得這樣太好看了。

　　接下來，我挪了張椅子，捧著一個黑色的絲質袋子坐到鏡子前，打開袋子，拿出一個小瓶子倒出乳液，精細地在臉上塗抹。

　　我開時喜歡在網上看化妝的教學影片，卻從來沒有實習過，這次終於可以大派用場。抹上粉底後，我開始化上眼妝，可是我的眼睛有點不平凡，我也不知道這樣化是否適合，我天生就沒有眼睫毛，所以我先學著教學黏上假的眼睫毛，唷，有點痛呢！但是，總算是黏上去了，不過這些睫毛似乎太短了，都貼伏在我凸起的眼球上，顯得有點奇怪。

惡魔面具

　　然後我拿起眼線筆，試著在上眼瞼畫上眼線，唷唷，太痛了！我戳到了眼球幾下，最後幾經努力，才留下了歪歪斜斜的眼線。

　　我呼了一口氣，掃上了黑色的眼影，噢，加上眼影後看來還不錯。

　　最後，我為臉頰撲上了粉紅色的胭脂，再搽上紅色的唇彩。

　　嘖嘖，那枝唇彩真的太少了，搽一次就沒了三分一枝，怪不得在網上總是看見別人罵市場上的奸商。

　　我端詳著自己的妝容，以第一次化妝來說，我覺得算不錯了，可是陳泰揚會喜歡嗎？

　　我著實有點不放心，最終還是戴上太陽眼鏡和口罩，再穿上黑色高跟鞋外出。

　　我已經很久沒有乘港鐵了，我平時一般都只是要購買生活必需品時才會出門去住所附近，上一次乘港鐵已是數年前跟媽媽一起時的事了。

　　我突然好想媽媽，不知道她過得好不好？其實她很疼愛我的，但最後她說她累了。

04 約會

　　我忍著想奪眶而出的眼淚,害怕弄花妝容。我在長沙灣站上車,低頭擠進擁擠的車廂,心情從想念媽媽的悲傷變為期待跟陳泰揚見面的緊張。

　　來到尖沙咀站,我順著人群離開車廂,依指示牌在A出口離開。

　　我站在九龍公園門口,看看手機的時鐘,已經是11:59了。

　　我感到自己的心跳得很快,我緊張地四處張望,目光尋找著看來像陳泰揚社交帳戶頭像的人。

　　突然,我感到有人在旁邊近距離看著我,我側頭一看,原來是一個三、四歲的小女孩,她抬頭看著我,從太陽眼鏡跟眼睛之間的縫隙,我不小心跟她對上了眼。

　　她好奇地看著我,嚇得我趕忙別過臉去,幸好她很快被她媽媽拉著走了。我再看看手機,已經是12:16了,為甚麼陳泰揚還未到來?

　　我敲打著熒幕,發了個訊息過去:「我喺九龍公園門口啦,你幾時到?」

　　過了達三十分鐘,他都還未讀訊息,我站在原地不敢走開,心裡著急得要命。

惡魔面具

「叮!」他終於回覆了:「呢個係界你嘅小小懲罰!」

甚麼?這是甚麼意思?

「你幾時嚟?」我再次問。

「我唔會嚟,嚟到咪界你玩?好心你唔好再扮鬼扮馬嚇人!」他回應。

玩?我有玩弄他嗎?甚麼扮鬼扮馬?我完全不懂他的說話。

我還未來得及回覆,他又道:「你戴個恐怖面具影頭像嚇人,又叫我自殘,你咪痴線啦!我手臂個『Momo』係修圖整上去㗎咋,我係設計師嚟㗎!你有時間不如做啲正經嘢啦!」

那……原來他沒有在手臂上刻上我的名字,那只是修圖!那是假的!他要跟我見面也是假的!可是……我的頭像千真萬確是我本人啊!

我急忙輸入訊息:「你誤會我啦,嗰個唔係面具!」

可是那訊息一直顯示發不出去,當我想再看他的社交帳戶頁面時,竟也無法顯示!

他封鎖了我。

05

第二個

第 二 個

我把手機放進口袋，緊握著拳頭轉身快步走向港鐵站，然後擠進車廂。

列車異常安靜地行駛著，連到站的廣播聲音都沒有，車廂中有很多人，他們有的似乎在說話，但我一點聲音都聽不到。

「我唔會㗎！」在我回家的路上，我好像都只聽到一把男人聲在這樣說，那是我幻想中陳泰揚的聲音。

我回到家，關上門，脫下了太陽眼鏡和口罩。

「呀！」我歇斯底里地大叫了出來，然後現實世界所有的聲音都回來了。

鏡子中的我，眼淚混和著眼線、眼影的顏色流了下來，在臉上形成了兩條直線，眼睫毛也被淚水沖掉，可是任憑我怎樣哭，我的嘴巴還是像笑著的一個V字。

我多痛恨自己這個樣子。

我默默走進洗手間，把殘缺的妝容和眼淚洗掉，臉上的肌膚和嘴唇又回復了蒼白。

看著鏡中的自己，突然覺得，其實不化妝的我更好看。

惡魔面具

步出洗手間坐在梳化上，打開電腦瀏覽著，其實陳泰揚不理我有甚麼重要呢？社交網站上有那麼多人，總不會沒有人理我呀！

我瀏覽著不同人的個人檔案，心情漸漸愉快起來。

忽然，我看到一個少女的頭像，她是典型的美人胚子，大眼睛配上櫻桃小嘴，還有一把時尚的紫色長髮。點進她的個人檔案，她的名字是堅系樂怡，最新的動態是這樣寫的：「你不要我了，我生無可戀。」

我笑了笑，發送了一個訊息給她：「失戀嗎？我都係，唔好難過。」

我看著熒幕，敲打著木桌子，發出了「噠噠」的好聽的聲音。

時間一分一秒過去，她都沒有回覆，但這次我沒有著急，因為網上有很多人，她不理我的話，我總可以找到下一個。

過了將近一小時，她終於回覆了：「Hi，多謝你安慰。」

第 二 個

　　我沖了一杯牛奶慢慢喝著，並不急於回覆她。過了半小時，才慢慢輸入了訊息：「唔使客氣，你有唔開心可以同我講，我哋係朋友。」

　　這一次，她很快就回覆：「嗯，我啱啱同男朋友分咗手，佢竟然一腳踏兩船。」

　　這麼漂亮的少女都會被人拋棄，看來我的遭遇也沒甚麼大不了。

　　「好可憐。」我故意給了一個簡短卻又表達了同情的回覆。

　　換來她把事情娓娓道來：「同佢拍咗成十個星期拖啦，佢一直都對我好好，但上個月突然成日都唔見人！搵佢又唔覆，話返工好忙，佢做泊車之嘛，有幾忙呀？」

　　我微笑著送出回應：「然後呢？」

　　「原來佢有咗另一個，肯定係個八婆勾引佢先囉！我條仔冇可能主動睇上佢，佢咁樣衰！」

　　說罷她竟發來了第三者的社交帳戶連結，我好奇點進去看，她的名字是莪系芝菫。

惡魔面具

　　嘖嘖，怎麼她們的名字都這麼奇怪呢？

　　我瀏覽著羑系芝葷的帳戶，確實，以一般人的審美目光，她的樣子是及不上堅系樂怡。

　　我輸入訊息：「係呀，你靚好多！」但同時我的內心很疑惑，長得美有甚麼好炫耀好自豪的？

　　「唉，到我踢爆佢同條八婆一齊，佢竟然即刻同我講分手囉！我真係接受唔到囉！」

　　「咁你打算點？」我問。

　　「我想搶返條仔返嚟囉！我冇可能輸畀個醜女，輸畀佢我真係想死！」

　　窗外天色漸暗，由於我沒有開燈，四周也慢慢暗下來，剩下孤獨的電腦熒幕在發光，我向堅系樂怡發出了訊息：「想死就去做呀。」

06

報
復

06

報 復

「哈?」她給了一個奇怪的回覆,我才發現原來我上一句回覆有點辭不達意,我是她的朋友,我怎會叫她去死呢?

「你想死嘅話,不如試下從個醜女手上搶佢返嚟先。」我試著把話說清楚。

「點搶?」她問。

「我冇試過畀人搶男朋友,我都唔知,但只要你諗到有咩方法,我都會支持你。」我回應。

過了一會,她發來了訊息:「你真係好好人。」我在已完全漆黑的房間中咧嘴而笑,回應道:「因為我哋係朋友。」

過了五分鐘,她傳來了幾張照片,令我不禁面紅耳赤。

「係friend先畀你睇,呢啲係我之前喺條仔部手機搵到,係個八婆啲裸照。」

「等等,佢哋竟然發展到呢個地步啦?出面咁多男仔唔搵偏要搶人男友,醜女真係唔知醜字點寫!」我花了點時間輸入這個回覆,雖然沒有被搶過男朋友,但被背叛被騙的感覺,我懂。

惡魔面具

「呀！我諗到方法啦！」她道。

「嗯？」我好奇。

「等我一陣。」她回應。

我終於站起來把屋內的燈都亮起，然後我還煮了兩碗麵，一碗給自己吃，一碗給我的寵物。

噢，我忘了說，最近我養了一隻寵物，是在街上撿回來的小貓，牠很瘦弱，平常我都讓牠住在媽媽的房間，反正媽媽走後，我其實也不大願意進去。

我打開了少許房門，把盛著麵條的碗放進去，然後關上門。

其實我不知道貓咪吃不吃麵條，反正牠餓了的話，甚麼都要吃，要生存正是要如此。

我捧著碗返回客廳，瞄了瞄電腦熒幕，堅系樂怡還未回覆。

06

報復

坐在梳化上，想著這幾天發生的事，思緒開始有點混亂。我想交朋友，卻被出賣了、背叛了、欺騙了；到我振作過來，想再交朋友，卻遇上了也是被背叛的堅系樂怡。我有點同情她、明白她，但是我不知道如何幫助她，與此同時，我又害怕她跟我說的一切其實都是假的，就像陳泰揚般騙我，所以我又充滿著戒心。

等我吃完最後一口麵，她才終於在回覆中給了我一個網址。

是甚麼來的呢？我倒抽了一口氣，慢慢移動滑鼠點進去，是一個討論區帖子，上面貼滿荌系芝薑的裸照和個人資料。

「我要揚晒佢啲衰嘢出嚟，等人人都知佢咁淫賤！」

原來要報復背叛你的人，就是去背叛他。

她繼續傳來訊息：「人人都睇晒佢全相，我就唔信我條仔仍然會要佢！」

「唉。」我嘆了一口氣，先不說我沒有陳泰揚的黑材料，即使有，我的善良也令我沒法背叛他。

惡魔面具

　　不過，她已經把照片都貼上網了，事已至此我也沒能說些甚麼，我只是回覆她：「希望你男朋友快啲返嚟你身邊，有新進展記得講我知。」

　　「一言為定。」她說。

　　「你要記住，我哋係一見如故嘅朋友。」我說。

　　「嗯，夜啦，我都要瞓啦。」

　　我笑了笑，輸入了回覆：「試下早啲起身，傳說4:20起身嘅話，會有好運喺你身上發生。」

　　「真係？」

　　「真係。」

07

怨

07

怨

　　早上4:20，我惺忪著起來坐了在床上，拿起床邊的鏡子照照，我的臉上仍是掛著那個大大的笑容。

　　我突然在想，也許這是上天給我的任務，我的長相並不平凡，我永遠掛著微笑，我要帶給世界歡樂，我要世界上再沒有憂愁的心。

　　「起咗身未？」我發了個訊息給堅系樂怡。

　　過了半晌，她才回答：「我冇瞓過，Momo，我好辛苦。」

　　我連忙亮起了枱燈，回覆：「發生咩事？」

　　「我唔想見人啦！」她的回應令我摸不著頭腦。

　　「尋日你去討論區貼咗羨系芝菫啲裸照，佢哋知道未？」我問。

　　「哈！我真係好後悔咁做！」她竟然這樣回覆。

　　「點解咁講？你唔係好想搶返男朋友？」

　　「你竟然支持我做呢件事，搞到我而家咁！」她突然向我發脾氣。

惡魔面具

「刮刮。」媽媽的房間傳來抓門的聲音，看來貓咪也醒來了。

我沒有理牠，而是盯著堅系樂怡的訊息看，怎麼她竟抱怨我支持她呢？

我吸了一口氣，冷靜地輸入了回覆：「可唔可以講我知咩事？我係你朋友，有事我會幫你手解決。」

「刮刮。」

我終於起床倒了兩杯牛奶，一杯自己喝，一杯給貓咪。

我遞了牛奶進媽媽的房間，也收回昨晚盛麵條的碗子後，便輕輕關上了房門。

堅系樂怡還未回覆，不過我一點都不著急，畢竟我們是朋友嘛，她不跟我說可跟誰說呢？

說真的，我早就留意到她沒有朋友這個事實，因為她在社交網站上宣布失戀的那則消息，連一個回應都沒有。

可憐的女孩，跟我一樣寂寞。

07

怨

　　果然，過了一會，她終於回覆我：「我尋晚貼咗條八婆啲相上網後，我條仔唔只有飛佢，重即刻貼我啲裸照上網！佢貼咗去好多網站，甚至……甚至將我啲片擺埋上網。」

　　噢，用背叛報復背叛，結果換來了更大的背叛。

　　「點解佢要咁對我？我咁愛佢，佢竟然話我不仁佢不義。」我看得出她很悲傷。

　　「最衰都係你！點解你唔阻止我？我而家咩都冇晒！」

　　「而家網上好多男人係咁J我，我以後點算？」

　　「佢話如果我再傷害佢條女，佢會再十倍奉還，點解佢可以咁無情？」

　　「你自己失戀就算啦！你搵我做乜？又鼓勵我搶返條仔……」

　　她的訊息不停傳過來，對我的抱怨不斷地出現在我眼前。

　　我嘆了口氣，搖了搖頭，回覆她：「不過我都唔知會變成咁，如果我知，自然唔會支持你咁做，殺死我都唔會支持。」

　　有些事情，一旦做了就難以逆轉，這就是人生。

惡魔面具

　　我不知道她是否明白我的解釋，反正她已沒有再回覆了，也許她真是太生氣了。

　　我凝望著她的頭像照片，那是一張自拍照，畫面上是她的三七臉，她的左手舉起了V字，食指還俏皮地點著自己的臉頰，眼睛水靈靈地望向鏡頭，很是漂亮。

　　我突然想貪玩一下，我右手拿著手機，左手舉起V字，食指點著自己的臉頰，「卡嚓」，我依樣葫蘆拍了張可愛的生活照，再把照片更新成我社交網站的頭像。

　　看看時鐘，已是早上6:15了，我沒有再等她的回覆，而是重新躲回被窩。

　　等到我睡飽起床時，已是正午了，堅系樂怡還是沒有回應我，在我無聊之際，在網上看到了一則本地即時新聞：

情困少女被公開裸照
今晨留遺書跳樓亡

08

女
鬼

女鬼

　　我抖顫著手指點按進去那則新聞，報導中沒有死者的名字，只標示了死者是姓程的19歲少女，當中提到她的遺書內容，大意是指她的裸照及色情短片遭公開，加上情傷，所以自殺，而她的男朋友已被帶返警署協助調查。

　　文章也有提到她跳樓的時間是今天早上七時左右。

　　我不確定死者是不是堅系樂怡，但是從報導內容來看，應很大機會是她了。

　　我打開社交網站，發了個訊息給堅系樂怡：「點解你咁傻？」

　　我看著熒幕右下角的時鐘，感受著時間的流逝。我就這樣呆坐著，透進房間的陽光慢慢消失，直至我瞄到房外的客廳被染了一抹燈黃，堅系樂怡還是沒有讀我的訊息。

　　我終於關掉了電腦，熒幕變成了漆黑一片，我的臉孔映照在熒幕上，縱使我的嘴巴是笑著，但我知道其實我是傷心的；縱使我知道堅系樂怡透過這樣去擺脫了憂愁，但我還是很難過。

　　我們是朋友，我能為她做甚麼？我們是朋友，我定要為她做些甚麼！

惡魔面具

「刮刮刮刮」，媽媽的房門傳來聲音，我這才想起，我太震驚於堅系樂怡自殺的事，而忘了房間中的貓咪。

我步出客廳打開了電燈，拉開抽屜翻翻，找到一袋前天買的麵包，於是我推開媽媽的房門，把整袋麵包放了進去。

我自己倒是沒有感到肚餓，所以又回到了電腦前瀏覽著社交網話，不知不覺點進了莪系芝薑的帳戶。

這個女生，害死了堅系樂怡，害死了我的朋友。

我發了個訊息給她：「Hi。」

她很快便回覆：「你係邊個？」

「我冇惡意，但係我感覺到你最近有煩惱，你好似被一隻女鬼纏繞住，我可以幫你。」

「女鬼？」她的好奇心被我勾起了。

「嗯，而且我睇到佢對你好有恨意，佢⋯⋯佢好似係最近先過身，而佢嘅死同你有關。」

08

女 鬼

我想，茹系芝菫這時一定嚇得目瞪口呆，她一定會開始疑神疑鬼，覺得堅系樂怡的鬼魂就在她附近。

過了半晌，她才回應：「你……你真係感覺到佢？」

「係。」我簡單地回答。

「係咁，我可以點做？你可以幫我？我唔係有心逼死佢。」

「你真係信任我？」我問。

她似乎猶豫了一會才回答：「嗯，我信。」

「係咁，你要先將你同女鬼之間嘅事講我知，咁我先幫到你。」我不自覺地對著熒幕笑了笑。

「其實我唔算識佢，但佢係我男朋友嘅前女友。」她道。

「前女友？」我揚了揚眉。

「係，可能佢放唔低我男朋友，所以好憎我。」

我咬了咬下唇，輸入了回覆：「你唔可以講大話，我感覺到佢好嬲。」

惡魔面具

「係，對唔住，我講大話。」她立即回應。

「咁你再重新慢慢講。」

「嗯，其實佢唔係前女友，係我哋嘅男朋友一腳踏兩船，我就係個第三者，我亦知道有佢嘅存在。」

「然後？」我問。

「然後……佢發現咗，我男朋友就同佢講分手，點知佢放唔低，可能太嬲我，佢竟然走去貼我啲裸照上網。」

「吓……」我扮作毫不知情。

她的訊息繼續傳來：「咁我男朋友見到就好嬲，就貼返佢啲裸照上網，其實都唔係我意思，係我男朋友堅決要咁做。」

想不到，莪系芝葷想把責任都推到男朋友身上，就好像她自己一點責任都沒有。

「係咁，最後個女仔點解死咗？」我問。

「佢自己睇唔開啲裸照被公開，所以自殺。」

08 女鬼

　　我深呼吸了一口氣，調整著自己的憤怒，然後才回覆她：
「我明白啦，而家你要依我指示做，然後就可以擺脫隻女
鬼。」

　　「嗯。」

　　「首先，你唔可以同任何人提起女鬼嘅事，亦要將我同你嘅
對話保密，因為女鬼知道你同其他人講嘅話，佢會更加嬲。」
我道。

　　「冇問題。」她爽快地回應。

　　「然後，你要用刀片喺手臂上刻上女鬼個名，刻嘅過程要拍
片，完成後將短片發送畀我。」這次，我不會再容許別人用修
圖技術來騙我。

惡魔面具

09

驅鬼

09

驅 鬼

「好，等我一陣。」她還是爽快地回應。

我的手指又不自覺地敲打著桌子，發出了輕快的節奏。

過了十分鐘，她終於傳來了短片。

當我看到她的短片，我大概知道為何她對這要求爽快答應，除了她真的想擺脫女鬼外，她手上長短不一的疤痕，足證她本來就有用刀片割手的習慣，所以這件事對她來說沒有甚麼難度可言。

在短片中，只見她鎮定地拿著刀片，在手上慢慢地刻劃著，她就像完全不知疼痛一樣，把「程樂怡」三個字仔細地刻了出來。

我看著那滲出鮮紅色血珠的名字，滿意地輸入了回覆：「很好。」

「跟住我要點做？」她問。

「寫道歉信，你要寫一封道歉信畀程樂怡，大意講你有幾對唔住佢，希望死嘅係你唔係佢，對佢嘅死好內疚，大約一千字左右。」

惡魔面具

「一千字？太多啦！」她抗議的竟然是字數，而不是希望死的人是自己那一句。

我揚揚眉，回覆她：「一定要一千字，唔通你想隻女鬼一世纏住你？」

「好啦。」她無奈地回覆，還加上了幾個哭泣的表情符號。

「要快啲寫，寫完影相畀我睇。」

「好。」

我終於感到有點肚餓，便打開房門離開房間，這時我聽到媽媽房間的門鎖發出了一些聲音，我之前在網上也看過文章說貓咪會跳起扭開門鎖開門，原來這說法是真的。

貓咪真是可愛。

我沒有理會牠，笑了笑走進了廚房，在雪櫃拿出兩盒水餃，我知道貓咪也餓了，就預牠一份吧。

我煮了一鍋開水，水蒸氣充斥著廚房，感覺非常暖和，我悠閒地攪動著沸水中的水餃，胸有成竹地等待荼系芝堇完成道歉信。

09

驅 鬼

待我煮好了水餃，也給了一份予貓咪後，我便捧著我的回到睡房，瞄了瞄熒幕，卻還未見有任何回覆。

一千字果真可能是多了點，但是既然是道歉信，也總該有些誠意。

時間慢慢過去，到了晚上十一時，我還未收到莪系芝董的回應，難道她放棄了？難道我又被耍了？

我雖然努力按捺著我的著急，但最終還是忍不住發了個訊息過去：「寫完未？」

她很快便回覆：「太多字啦！我寫極先得三百幾字！」

我不禁翻了個白眼，數小時才寫三百多字，即使我沒接受過正統教育，也知道她的水平是不合常理地低。

我嘆了一口氣，回應道：「三百字就三百字啦，我會試試令女鬼唔好咁嬲。」

「哈！你早響嘛！等我搞咁耐，睇相啦！」她語畢旋即發了張照片過來。

惡魔面具

照片中是一張有點皺的紙，上面用鉛筆歪歪斜斜的寫了堆字，我大約快看了數眼確認她有依我指示完成內容，但因為當中錯字百出，有些字又莫名其妙地加上了草花頭「艹」，看著實「荏苓莪」厭煩。

我無奈地回應：「好，咁下一步比較花時間，但都係最後一步啦，你有冇程樂怡啲相？我指除咗裸照之外。」

「有，係男朋友發畀我嘅。」

「好好，你而家開始十個鐘頭，唔可以瞓覺，唔可以食嘢，要專注望住佢張相，不停默念『我對唔住你』。」

「係咁，佢就唔會搞我？但夜晚咁樣望住佢真係好恐怖。」

「聽住，日頭做就冇用，你要而家開始，去望住佢張相道歉，死者就會安息。」我花了點時間想去說服她。

「咁，好啦。」她回應。

「安息吧。」我關上電腦，對著漆黑的熒幕輕聲說。

10

死了

10
死 了

十多小時後，鬧鐘把我從睡夢中吵醒，我打著呵欠，手卻急不及待拿起電話，看看荻系芝蓳有沒有發訊息給我。

我用力地吸了一口氣，果然，我沒有收到任何訊息。

我把畫面轉到去新聞網站，想不到頭條就是以下一則新聞：

當第三者害死情敵
少女手刻情敵全名

自殺前留遺書：希望死嘅人係我

天水圍天耀邨今晨七時許，一名18歲陳姓少女於十二樓睡房窗戶躍下身亡，消息指死者手上以利器刻上一中文姓名，姓名與昨晨因裸照被公開而自殺身亡之19歲程姓少女一致，陳亦留下遺書指自己因介入程與男友之感情，及令程被男友公開裸照內疚，希望死的人是自己，故選擇輕生。警察認為事件並無可疑。

惡魔面具

在新聞的下方除了陳姓少女的照片，還有一張在殮房外拍攝的照片，顯示了一個紫色頭髮的少年，下方有以下一段文字。

而當中關鍵人物，兩女之男友據稱姓李，昨曾被警方帶返警署調查，今晨終現身殮房，但因程女家人拒絕而不得入內，神情木訥。

現在的新聞報導真是娛樂性十足，我沖了杯熱茶，呷了一口，輕聲地說了一句：「可憐啊！」

我嘆了口氣，兩個花樣年華的少女就這樣死了，這是我始料不及的。對堅系樂怡，我很努力去安慰她，又支持她爭取男朋友回到自己身邊；對莪系芝菫，我猜想她對堅系樂怡的死一定會感到不安，也許還會疑神疑鬼，所以便順著她的思路，希望幫助她，但是她們最終還是選擇了不歸路。

死 了

我確信感情沒有對錯,凝視著畫面中那紫髮少年的神態,我想他現在一定很煩惱,也可能很害怕,畢竟他間接令兩個少女失去生命。

也許我可以嘗試幫幫他?

我把熒幕畫面又轉回到社交網站,在荍系芝蕫的帳戶上找尋他男朋友的帳戶。

果然如我所料,一點都不難找,那紫色頭髮著實太奪目,他的名字是軒団,他的皮膚很白,嘴唇紅紅的,打扮有點走韓風那種。

我按進去他的帳戶版面,見到他在半小時前更新了近況:「我做錯咗啲乜?愛人都有錯?或者,我以後都唔會愛人,由得我孤單啦!」我咬了咬下唇,然後在網上隨便搜索了一張日本少女的照片,她長得不算很美,但有鄰家女孩的感覺,髮型和身形有點像荍系芝蕫。

我把照片換成了社交帳戶的頭像,把自己之前的照片都刪掉,然後發了個訊息給他:「Hi。」

他很快就回覆:「Hi。」

惡魔面具

「你個紫色頭髮染得好靚。」我隨便找個話題打開了話匣子。

「唔錯呀！我成日都去旺角一間髮型屋染，你有興趣？」怎麼他的字裡行間，好像沒有為兩個女朋友的死而悲傷？

「嗯……咦，你有嘢唔開心？」我好奇問。

「你又知？」他反問我，看來他剛才只是在隱藏自己的悲傷。

「我睇到你近況，畀女飛咗？」我扮作不知情地問。

「我女朋友死咗。」他終於把最悲傷的事說出來。

「噢，對唔住。」我回應。

「講起嚟，你有啲似佢，你叫咩名？幾多歲？做個朋友呀。」他回覆。

「我叫Momo，今年20歲。」

「哈！原來係姐姐，我今年19歲。」

10

死 了

「哈哈,只係老你一年啫!」我回應。

「我都冇試過姐弟戀。」

他突如其來的回覆,令我莫名地臉紅耳赤。我本來就是一片好心想令他開心起來,忘記不快的事。但是,他不是才剛在近況中說以後不會愛人嗎?

也許他見我久未回覆,便再發來了訊息:「做咩?我講笑咋!我重好掛住我女朋友,而你又同佢有啲似。」

噢,原來他只是強顏歡笑。

「係呢,你女朋友點死?」我問,有時要宣洩情緒,最好就是把難過的事都一一說出來。

「佢肺癌死嘅。」他回覆。

咦?

惡魔面具

11

調
情

調 情

　　肺癌？為何他要說慌？抑或是我找錯了人？這件事一定不可以搞錯，因為我一定要好好安慰莪系芝薑的男朋友！

　　我急忙對比軒団帳戶上的頭像和新聞上的照片，仔細對照了一番，我十分肯定軒団是莪系芝薑的男朋友。

　　「肺癌死？你一定好傷心。」我回應他。

　　這個世界，愛說謊的人太多了，但也許他真是太難過，所以才不願說真話。

　　「係，不如你陪我傾下偈，幫我分散下注意力。」他回應。

　　「好呀，你想傾啲咩？」我順著他問。

　　「講下你啲嘢，你有冇男朋友？」

　　「我？冇呀，啱啱失戀。」我想起陳泰揚。

　　「咁慘，愛情就像處女膜，看似很牢固，其實一碰就破，而且破了就再也修不回來。」

　　我不知道他為何突然轉了語調，難道句子是從甚麼地方抄回來的？

惡魔面具

「哈哈！你都幾好文采。」我邊回應邊搜尋了一下，原來這是所謂的「MK文學」。

「唔只文采，我好多方面都好好，至少我唔會好似你前男友咁唔識寶。」

說起陳泰揚，我不禁又緊握了拳頭一下，然後回覆他：「佢可能嫌我唔靚。」

「你都叫唔靚？佢要求好高喎，哈哈。」

「其實男仔係唔係真係只會揀靚女做女朋友？而唔會睇內在美？」我問了一個在心內已久的問題。

過了半晌，他才回答：「沒有人想操你的內在美，和一個男人強調你的內涵，不如直接告訴他你允許內射更有吸引力。」

我紅著面看著這句似是而非的MK文學，一時間想不到該如何回應。

他又說：「不過，你都真係算靚女，好似你咁已經足夠。」

調 情

　　呆看著他的這個訊息，我知道是因為我用了別個少女的照片，他才會這樣說，如果我用的是自己的照片，他還會這麼認為嗎？

　　我還未回覆他，他又問我：「咁你覺得我點？」

　　「我覺得你好可憐。」我是真的這樣覺得。

　　「嗯，但我女朋友病咗咁耐，死對佢嚟講都係一種解脫。」

　　「希望你早日放低佢，早日擺脫傷心嘅心情。」我回覆，手指又不期然地敲打著桌子。

　　「你而家係唔係重好掛住你前男友？」他又把話題帶回我身上。

　　我又想起陳泰揚。

　　我回應：「的確會成日諗起佢。」

　　「Ｍｏｍｏ，要忘記一個舊情人，最好就係搵一個新情人。」

　　「所以呢？」其實我在網上也看見過這種說法，只是我想聽聽軒囝會說甚麼。

惡魔面具

「我覺得呢個講法都幾啱，我都好想唔再為我死去嘅女朋友傷心。」

「即係咩意思？你想搵新情人？」我問。

「反正我哋都單身，不如我哋試下發展？」他回覆。

「你意思係，同我拍拖？」我問，他的女朋友今早才死去，他這麼急要找新女友，可見他真是太傷心了。

「係，以後我嘅拳頭同下身都只會為你而硬。」他回應。

老實說，我不太懂得欣賞這種MK文學，也不太理解這種示愛方法。

不過，如果這樣可以令他開心起來，我是願意的，因為我的願望就是令世上再沒有憂愁。

「不如，我哋約出嚟見面？」他提出了要求。

「好。」我爽快地回應，要談戀愛當然要見面；不過我想了一想，便再問了一句：「你真係會出嚟見我？」

11 調 情

「當然。」

我又想了想，便回應他：「不如我哋訂個酒店房見面？」我不想再像上次那樣在街上等候，還惹來途人奇怪的目光。

「你都好猴擒，不過我鍾意。」他道。

我不太明白他的意思，不過最後總算是約了他在後天晚上見面。

「刮刮。」貓咪又用爪子刮著木門，我才想起今天一整天都沒準備食物給牠呢！哈哈！

惡魔面具

12

初次

12

初 次

　　很快到了約會的日子，我穿上了生日那天購買的那襲黑色連衣裙，戴上太陽眼鏡和口罩，再端詳著鏡子中自己的樣子，這個身段實在好看極了，那一字領上露出來的鎖骨也是十分性感。

　　我今天沒有像上次那樣化妝，也許我潛意識對軒団比對陳泰揚更認真一些，雖然我在網上用了假照片，但約會的話，我想用真面目。

　　軒団的兩個女朋友都死了，他一定很難過，希望我能令她快樂起來吧。

　　我煮了一鍋牛奶麥皮，自己吃了一些，然後便整鍋拿到房間餵貓咪。

　　我在牠對面轉了轉身，問牠：「靚唔靚？我今日要去見一個可憐嘅男仔。」

　　牠可能太餓了，又可能是覺得軒団真的可憐，嘴巴發出了「嗚嗚」的聲音。

　　我又道：「我有啲緊張，會唔會好似上次約陳泰揚咁，整到我好唔開心㗎？死啦，佢會唔會唔出現㗎？」

惡魔面具

　　貓咪當然不會懂我的心情，牠只是發出了兩下叫聲，就靜了下來。

　　我沒再理牠，便關上房門，再踏著高跟鞋出門去了。

　　軒団約了我在一間時鐘酒店的房間等，他先去取了房，然後發訊息告訴我房號，還催促我快點到達，似乎他不會像陳泰揚那樣失約。

　　我是第一次去這種地方，所以難免有些緊張，進入酒店時，縱使我已戴了太陽眼鏡和口罩，但還是垂下了頭，不過，店員對我這個打扮和行為似乎是見怪不怪，沒有對我多作理會。

　　我逕自走向軒団說的四號房間，高跟鞋踩在地板上發出「咯咯」的聲音。

　　終於，我來到房門前，輕敲了門，門很快被打開，我見到一臉歡喜的軒団在我面前。

　　看著他的神態，我就知道自己應約的決定是對的，因為我的出現，確能令他再沒憂愁。

　　他道：「Ｍｏｍｏ，我等咗你好耐啦。」然後他一把拉我進房。

12 初 次

他熱情地抱著我的腰道：「你真人比相中瘦好多喎。」

我發出了兩聲笑聲，道：「係咩？上鏡可能真係會肥啲。」

「你而家入到房，可以除低太陽眼鏡同口罩啦。」他說罷伸手想拉下我的口罩，卻被我用手擋住了。

我轉身把房間的燈關上，把窗簾拉好，令房間只餘下透過窗簾而進的微弱光線。

「你唔打算畀我望下個樣咩？」他邊問邊過來抱住我。

我搖了搖頭，道：「我怕醜。」

「你……你係處？」他猶豫著問。

我看著他點了點頭道：「嗯。」

即使房間內陰暗得很，我還是可以近距離看到他臉上欣喜的表情。

他笑著說：「咁真係要睇下你有冇講大話。」說罷便把我推倒在床上。

惡魔面具

　　我曾經在網上看過，性是令男人快樂的方法，似乎這個說法沒錯。

　　他很快把我的衣服趴光，令我的身上只餘下太陽眼鏡和口罩。

　　他突然拿出手機，向著我想拍照，不過我很快坐起來搶了他的手機道：「我唔想影相。」我可不想步堅系樂怡和茭系芝蕫的後塵。

　　他無奈地答應，然後又撲到我的身上。

　　我必須坦白，在這件事上，我不完全是為了他的快樂，畢竟我已二十歲了，我對這方面也確實好奇，這不是正常的嗎？

　　他發出了歡愉的、急促的呼吸聲，我則是由覺得痛楚慢慢地變成覺得歡愉，到最後他疲累地伏在我身上，我們都急促地喘著氣。

　　「Momo，我愛你。」

初 次

　　他說愛我，令我感到前所未有的快樂，我問：「真係？你會接受我嘅一切？」

　　他點點頭：「係呀！你係我嘅女人！狗會喺燈柱上痾尿去霸地盤，而男人喺女人身上射精，就係為咗証明呢個係佢嘅女人。」這句我日前在搜尋那些ＭＫ文學時有見過。

　　我深呼吸了一下，才一字一句道：「係咁，我除太陽眼鏡同口罩啦。」

　　「好。」

惡魔面具

13

容
貌

容 貌

　　我輕推開他站到床邊，他坐在床上抬頭看我，手卻不安分地在我身上遊走。

　　我撫了撫他紫色的頭髮，然後慢慢伸手拉下了口罩。

　　剛才還發出喘氣聲的他，此刻卻是屏息靜氣，滿臉疑惑的看著我。

　　我沒有說甚麼，緊接著連太陽眼鏡都脫下。

　　軒団仍是一臉疑惑地看著我，我感到十分緊張，不自然地乾笑了兩聲，意圖放鬆心情。

　　想不到，他竟突然開懷大笑起來：「哈哈哈哈！」

　　這回到我疑惑了，他為甚麼突然笑了？

　　他突然大力抱著我的腰，大笑道：「又未到萬聖節，竟然咁曳戴個面具嚇我？」

　　我也笑了笑，慢慢挪開他的手，接著退後來到房門附近的電燈開關旁，邊伸手開燈邊道：「唔係面具嚟㗎。」

惡魔面具

電燈亮起，這是我自有記憶以來，人生第一次在媽媽以外的人面前展示自己的容貌。

怎料，他笑得更厲害，指著我道：「頭先一開始真係畀你嚇親，個面具都整得幾搞笑。」

他跳下床跑了過來，一手抱著我，一手在我下巴位置撫摸，就像是要把面具掀起一樣。

我道：「再望真啲，見到未？」我頓了頓，繼續道：「我真係咁嘅樣。」

我看著他的表情變得僵硬，雙手終於離開了我的身體和下巴，然後他就那樣僵立在我面前。

過了半晌，他才突然大聲驚叫起來，猛地想衝去房門，可是他意識到我正擋住房門，便又亂叫著向床的方向跑去。

我悲傷地邊說邊向他步去：「樣貌真係咁重要？」

佢慌得爬到了床上，大叫：「你咪過嚟呀！你係咩嚟㗎？」

13 容貌

　　我很難過，可是大概他不會知道，因為我的嘴巴仍是呈一個Ｖ形地笑著。

　　我爬上床靠上前看著他：「你唔係話愛我咩？」

　　他的眼睛瞪得老大，喉嚨發出了「格格」的聲音。

　　「格格……」

　　離開時鐘酒店的時候，已是晚上九時。

　　我拖著疲累的步伐登上港鐵，列車在漆黑的隧道中飛馳，我看著列車車窗上自己的倒影，容貌依然是被太陽眼鏡和口罩蓋著，身上的黑色連衣裙卻有點皺皺的，畢竟我已不再是今早離開家門時的那個Ｍｏｍｏ，我告別了二十歲前的自己，即使是短暫，也總算是被男人愛過。

惡魔面具

回到家裡，我洗了一個熱水澡後，隨便煮了一碗即食麵給貓咪。

牠看我的眼神很奇怪，也許是因為我很少離家數小時之久，所以牠可能是想念我了。

我告訴牠：「我今日好開心，但又好唔開心。」

牠不解地發出了「嗚嗚」的聲音，也是的，牠怎會明白呢？

我回到自己的床上，想著今天發生的一切，能夠令軒囝忘掉兩個女友的死，縱然他後來看著我時驚恐的眼神傷得我很深，但我總算是做了好事吧。

想著想著，我便滿足地沉沉睡去，到我睡醒過來時，天色已完全亮了起來。

昨天在外大半天，我確實感到很疲累，我慵懶地捲著被子，伸手到床邊拿來了手機，就像往日一樣打算看看新聞，然後一則新聞吸引了我。

容貌

19歲青年時鐘酒店猝死
家人證實患心臟病

死者女友為日前跳樓自殺女

一名19歲青年昨夜十時許被發現死於九龍塘一時
鐘酒店房間，根據紀錄及酒店入口之閉路電視顯示，
死者於七時獨自登記入住，聲稱租住三小時。約十時
許，職員見他未有退房，拍門沒反應後開門驚見死者
全裸死於床上而揭發事件。

死者姓李，為無業青年，女友為日前跳樓自殺之陳姓
少女，前度女友亦為早前跳樓自殺之程姓少女。

現場未有發現遺書，家人指死者一年前發現患有先
天性心臟病，警方循死者自殺或病逝兩個方向調查。

惡魔面具

　　我驚訝得合不上嘴巴，昨天在房間時，他突然昏了過去，於是我只好穿回衣服離去，想不到他就此死去了，我這才想起，之前在他的社交帳戶的舊帖文中，他是有提過自己的心臟有問題，醫生說他不可受驚的。

　　不過，事已至此，也是沒法改變，他和女友們都死了，這段三角戀帶來的傷害也總算完結了。

14

高
凡

高 凡

　　我的網上交友經歷中，一個失約，另外三個死了，不過我的人生總算邁出了一步，至少總算有人愛過我。

　　我又開始在社交網站上找尋下一個朋友，不過因為軒団的死，我不想再重蹈覆轍，於是我又把頭像換回了自己生日當天的自拍照。

　　我對男生比較有興趣，可是接下來的幾天都不太順利，我發訊息向了十多個男生打招呼，他們不是不理睬我，就是留下粗言穢語後把我封鎖掉。

　　我不知道自己做錯了甚麼，難道一定要長得漂亮才可以交朋友？對如何交朋友這回事，我實在很迷惘，但是我太寂寞了，也沒法子以正常途徑去認識朋友，只好繼續在網上嘗試。

　　終於，在又經歷了幾天的失敗後，我遇上了他，他的帳戶頭像是一個男生側面的剪影，架著一副眼鏡，面頰看來有點瘦削；他的名字是高凡。

　　我吸了一口氣，鼓起勇氣像以往一樣，發送了一個訊息給他：「Hi。」

　　想不到，他很快便禮貌地回應：「Hi，你好。」

　　「你好，我叫Momo，可以同我做個朋友嗎？」

惡魔面具

「刮刮。」貓咪又在提醒我給牠食物。我不捨地看著熒幕，終於還是趁高凡還未回覆，動身去預備食物給貓咪。

我翻開廚櫃，找到些未過期的芥末青豆，這個我覺得太刺鼻了，所以吃剩了好幾包；另外，還有一些加拿餅，這個上次我也用來餵過貓咪，牠似乎很喜歡。

我把青豆和餅乾都放進了媽媽的房間後，便急著跑回電腦面前，看看高凡有沒有回應。

可是我又再一次失望，他沒有回覆。

我暗自嘆了一口氣，正想在瀏覽器返回上一頁時，他的訊息便傳了過來。

「好呀！」他回覆。

「哇噢！」我不禁舉手大聲歡呼了起來。

我愉快地敲打著鍵盤自我介紹：「我今年20歲，你呢？」

「我係高凡，你叫我花名梵高就得，我今年30歲啦，希望你唔會當我老餅啦！」

14

高凡

「點會呢？」我的心有如小鹿亂撞，很快又再回覆他：「係呢，你做邊行㗎？」

我按進他的個人頁面，似乎他沒有上載照片和近況的習慣，又或是設定了只有好友清單上的人才能觀看，是以我眼前的畫面是空白的。

我只能看著他照片中的側面剪影，試圖猜想他的輪廓。

「我做金融嘅。」他過了十分鐘才回覆。

看來他是一位才俊，我回覆：「好厲害，我重讀緊書，重未諗到將來可以做啲咩工。」

「你喺邊度讀書？讀咩科㗎？」他問我。

一時間，我也不知可如何解釋我的狀況，便隨便編了個故事：「嗯，我喺嶺南大學讀中文。」

這是我之前看過其中一個男生在社交帳戶上寫的教育背景。

「讀中文？的確好難搵出路，或者可以試下投資？」他回應。

「投資？」這件事對我來說太陌生了。

惡魔面具

「係，你有冇試過投資？」他問。

「冇呀。」我答。

「其實好簡單，我可以幫你。」

「不過，我都唔等錢使……」我回覆，事實上，媽媽真的嫁得不錯，也一直有給我錢，她就只是不跟我見面罷了。

「你爸爸媽媽好有錢？」他問。

我不知如何解釋，只是回覆：「係。」

高凡跟我過往認識的人有點不同，他很健談，整個對話內容就像被他帶領著，縱然他問了我很多私人事情，令我隱隱地感到不安，但難得他對我有興趣，又這麼熱情，我還是十分高興。

過了一會，他發來了訊息：「咁就更加要利用錢再搵錢啦！」

「點解有錢都要再搵錢？」我是真的不解。

我不明白，為甚麼夠錢花還要再去想方法要更多的錢。

15

騙子

15

騙 子

「因為你父母終有一日會死，除非佢哋嘅錢夠你用一世啦。」他回答。

這一點我確實沒有想過，我一直以來都每月收取媽媽寄來的金錢，住所也不用交租金，確實沒有想過有一天會沒有錢。

雖然我知道很多人都會為生活而上班攢錢，但是以我的容貌，我能找甚麼工作呢？

「咁又真係唔夠用一世，咁我可以點？」我問。

「你可以畀錢我幫你投資。」他說。

我太高興了，看來他是一個真摯的朋友，我急不及待回答他：「好啊，點畀錢你呢？」

「你唔使知道我要點幫你投資？」他問。

「唔使，只要你證明到我哋係好朋友。」我的手指又不由自主地敲打著桌子。

然後我卻得到一個這樣的回覆：「好呀，我聽日約咗朋友去美容院，但佢甩底，你可以陪我嗎？」

他的朋友失約，於是他想找我頂上，那即是代表我是他朋

惡魔面具

友了！原來交朋友是這樣的一回事！

不知怎的，我覺得高凡比軒団對我更真摯。

我當然很想應約，可是要上美容院的話，我沒法做到，是以我回答他：「我唔去美容院呀，不過我信你，信你當我係朋友。」

在我回覆了他之後，他卻過了好一會兒才答：「咁你過二萬蚊去呢個戶口，我幫你投資。」他在訊息最後附上了一組數字，應該就是他的銀行戶口號碼。

「但係……我冇銀行戶口……」我答。

「唔緊要，你可以入現金去我戶口嘅。」

「我……我唔識入呀！」我真的從來沒有去過銀行。

「係咁……你即係唔當我係朋友。」

我看到他這個訊息，不禁著急起來，這麼艱難找到一個新朋友，我不想就此泡湯，可是我該怎麼辦？

突然，他又發了一個訊息過來：「其實你想點？」

騙 子

「想識朋友呀？我唔係一開始就講過咩？」我不解。

「你整個咁嘅頭像周圍同啲男仔打招呼，到底想點？」他又問。

我看著熒幕呆了半晌，才回應：「我周圍同啲男仔打招呼？你……你點解咁講？」

為甚麼他會知道？

他沒有直接回答我，而是傳來了一個討論區帖文的連結，標題是：「疑似騙徒！用嚇人頭像周圍同人Say Hi。」

然後我細看內文，原來高凡一開始就沒有信任我，而是把我跟他打招呼的畫面截圖上傳，再問大家：「點同佢玩好？」

然後下方竟然陸陸續續有數個人回覆，指自己也收過我的打招呼訊息。

他們初時一致覺得我是騙徒，所以建議高凡扮作倫敦金騙徒反欺騙我，但見我又竟然真的答應給他錢，所以大家都十分疑惑。

後來他們又以為我是騙人去惠顧美容院的，所以高凡就故意說自己也約了人去美容院，試試我會有甚麼回應，但我卻

惡魔面具

拒絕了上美容院，令他們都不知如何是好。

最後，高凡還是按捺不住好奇心，直接地問我到底是甚麼動機。

我看著討論區上網民的回應，心裡難受得要命，為甚麼我貼上自己的真實照片作頭像去打個招呼，就覺得我有甚麼不良動機？我只是想交朋友，就是這麼簡單。

淚水從眼眶流下，滑過臉頰滴在桌子上。

我敲打著鍵盤，終於發出了訊息：「我只係想識朋友。」

他回應：「咁你都唔使整張咁恐怖嘅相呀！」

恐怖？我只是長得有點特別而已。

「可能你唔會信，但我個樣真係咁。」我很哀傷。

「你拍片我咪信囉！信你一成都死。」本來很友善的高凡，現在的態度比軒团的死更傷我心。

「好！希望你收到片段時，望真啲，你就會相信我，死都會相信我。」

16

暗
湧

16 暗湧

　　我打開了手機的攝錄功能，面向鏡頭，一時間卻不知要說甚麼。

　　我眨了眨眼睛，緊張地擠出了一個微笑。

　　深呼吸了一口氣後，我終於結結巴巴地說：「你好，高凡，我係Momo……」

　　我僵硬地揮了揮手，再說：「嗯，呢個就係我個樣……」

　　然後我不自在地靠前，說了我最想說的話：「高凡，我好想同你做朋友，你而家信我啦。」

　　我尷尬地看著鏡頭，想想不如唱首歌吧？我想唱一首歌，給我這一個朋友，我張開嘴巴，幽幽地唱出一首我喜歡的歌：「你將離開我，飄到遠方去，那裡是個好地方，橘黃的天空，輕雨灑身邊，花草躺腳下，你的身體晃啊晃、晃啊晃、晃啊晃……」

掃描聆聽Momo的動人歌聲

惡魔面具

可能因為我很少唱歌，也可能太緊張，畢竟這是我第一次唱歌給別人聽，聲線聽起來是顫抖著的，是弱弱的……就好像是幽靈的聲音一樣空洞。

不過，這總算是我的一番心意，唱完後，我輕聲說了句：「再見，高凡。」然後顫抖著按下「儲存」，再把片段發送了給他。

我安靜地看著熒幕，房間慢慢暗下來，窗外泛著紫紅的天色，已經是傍晚時分了。

我看到他已讀了訊息的標示，但一直沒有回應。

我不知道自己是不是在等待，其實我大概知道這就是答案，但我還是在期待著甚麼，最終當房間內完全黑暗時，我依然在呆看著熒幕。

「呀！」媽媽的房間傳出了尖叫聲，是貓咪在尖叫。

我這才想起，牠大概是餓了，我也餓了。我最近很少到超級市場，家中的食物也所餘無幾，於是我隨便沖了點牛奶讓牠充飢，然後便換衣服出去買食物。

16

暗 湧

　　我依舊是戴上太陽眼鏡和口罩,穿上日前穿過還未洗的那套黑色連衣裙外出,我好像嗅到裙子上有軒団的氣味。

　　當我走到街上時,一陣涼風吹了過來,風中有種潮濕的味道。雖然已是晚上九時,但天色沒有全黑下來,而是呈現著紫紅色的;我記得媽媽說過,如果晚上的天空是紫紅色的話,第二天就很大機會會下雨。

　　我不禁快樂地笑了起來,我真期望下雨呢!

　　我到超市買了一大堆食物,還買了個蛋糕,雖然沒有甚麼事情好慶祝,但我突然想吃點蛋糕。

　　提著一大袋食物離開蛋糕店,我便沿著小路回家,這時街上的行人已不算太多,回家路上的那些店舖都已經關門了,街上尤其冷清陰暗,只餘下一兩個人站在街角抽煙。

　　黑暗的街角一向都是令我最舒適的,我慢慢地走著,涼風吹動著我的裙擺,使得我白皙的大腿露了出來。

　　突然,有人從後隔著口罩緊摀住了我的嘴巴,然後大力地把我拖向了左面!

惡魔面具

本來提在手中的食物和蛋糕都掉了在地上,我拼命地掙扎,可是那人太大力了,我就那樣被他拖著扯著,然後跌倒在後巷的地上。

那人撲倒在我身上,想掀起我的裙子,我用力掙扎,突然,他停下了動作,然後慢慢站起來後退了幾步,他的面孔滿是驚慌,嘴唇顫抖著,右手慢慢地提起指著我。

這時,我才發現,原來在混亂中,我的太陽眼鏡掉了在地上。

我伸手拉好了裙子,再扯下口罩,開口問他:「你想點?」

「呀!鬼呀!妖怪呀!」他瘋狂地尖叫,然後拔足狂奔出了後巷。

我安全了。

我嘆了一口氣,蹣跚著站起來,戴回我的太陽眼鏡和口罩,慢慢地想步出後巷。

「嚓。」我踢到一件東西,彎身把它拾起來,原來是一個錢包,打開一看,身份證上是剛才那個男人的樣子,看來是他匆忙中遺下的。

暗湧

我拍拍裙子上的灰塵,拿著他的錢包走出後巷,再拾回剛才跌在地上的食物和蛋糕,重新走回家去。

回到家裡,我瞄了瞄電腦熒幕,高凡果真沒有回覆。

我笑了笑,拆開盛著蛋糕的紙盒,雖然蛋糕已跌破了,但我還是用手指沾著來吃,味道很甜很好。

今天其實是一個不錯的日子。

惡魔面具

17

下雨的黃昏

17 下雨的黃昏

　　第二天中午，我被窗外的雨聲吵醒，惺忪著起床時，已聽見貓咪在不停抓刮著媽媽房門的聲音。

　　我是在下雨天時於街頭把貓咪抱回來的，牠想必是憶起流落街頭的情況，所以十分驚慌。

　　雖然我平時不怎麼喜歡下雨天，但是這次我卻十分欣喜。

　　我打開跟高凡對話的畫面，他還是沒有回覆我，我好奇地再點進去那個關於我的討論區帖子，看看他們還有沒有再討論些甚麼。

　　然後我驚人地發現，原來在我自拍短片給高凡後十分鐘，他竟然把我的短片貼上了討論區！本來不算有太多人討論的帖子，一下子多了上千個回覆，我更發現我的短片已被分享到其他討論區和社交媒體，引起了網民熱烈的討論。

　　網民大多都覺得短片內容很可怕，有些人說一定是鏡頭效果或是面具，又有人說我的樣子很搞笑……

　　而最吸引我的，是有一個人留言說：「我尋晚喺長沙灣後巷食煙時見到呢個女人，唔係面具嚟㗎，佢重同我講嘢，嚇到我即刻走！」

惡魔面具

我點進去看他的頭像，噢，果然是那個把我拉進後巷的男人。他對我圖謀不軌失敗，現在竟這樣厚顏無恥地說謊，說是抽煙時看見我？

而他這一個留言，又再引起其他人的討論，甚至有些人竟說我每晚都會在長沙灣街頭出現，人的以訛傳訛能力真的很令人驚嘆。

不過最令我在意的，是高凡在貼了我的短片後，就沒再有任何留言。有些網民著急地指出「樓主失蹤」，擔心樓主已遭遇不測，但另一方面，也有人推敲所有事情都是高凡製作出來，想戲弄一眾網民然後「深潛」。

人除了以訛傳訛的能力，創作力量和幻想也都真的嚇我一跳。

我笑笑看著網民的留言，雖然沒有想過高凡會把短片分享出去，但是他的消失卻不令我意外呢！我的意思是他可能工作太忙了，畢竟他曾說自己是在金融界工作，而我剛才看新聞時看到了股市大瀉的消息，相信這必會增加他的工作量。

我沒再追看網民有關高凡失蹤的猜測，而把目光停留了在昨夜那個男人的個人帳戶上，我頓時想起，昨夜回家時順手把他的錢包扔在了客廳的梳化上。

17

下雨的黃昏

是以我步出睡房，想去拿他的錢包，途經了媽媽的房間時，我發現房門被拉開了一小道縫隙，推開門察看一下，看到貓咪在床上睡得正熟，於是我輕手輕腳地把門關上了。

梳化的雜物上堆著那個男人的錢包，我拿出他的身份證看看，原來他的名字是劉過雲；翻了翻他的錢包，內裡有數十元，有些買東西的單據，還夾了一張摺得很細、皺巴巴的紙。

我把紙張打開，原來是一張水費單，上面有他的英文名字和地址，看來是去交完水費後隨手塞進錢包的。

我把他的水費單釘好在牆上的告示板，然後伸了個懶腰，去打開雪櫃把昨天餘下的蛋糕拿出來，當作是自己的午餐。

我盯著那張水費單，著實覺得他應該要有一個改過的機會，就像我也應有機會結識朋友一樣。於是我拿出紙筆，畢竟我對寫作不甚擅長，我只寫了一封短短的信：「你好！我是那晚在長沙灣被你襲擊的女生，你知道你這樣做是不對的嗎？希望你會改過！」

雖然我可以在網上的社交媒體發訊息給他，不過既然知道了他的地址，我覺得寄信比較有誠意。

我把信放進信封，抬頭看看窗外，天空中飄著雨，然後我便拿著傘子，穿上我一貫的裝束出發去郵局把信寄出。

惡魔面具

　　我衷心希望，劉過雲在我的勸勉下，可以改過自新。

　　順道買了些家品和食物才回家，回到家中時已是晚上七時多了，我邊吃著外賣邊打開電腦細看新聞，一則新聞吸引了我：

男子雨中於黃大仙鳳德公園上吊自殺

警方接獲清潔工人報案，黃昏時分於黃大仙鳳德公園一樹上發現一具上吊男屍，死者姓高，廿五歲。

由於清潔工人中午時分曾於該範圍工作，而當時未有發現，故相信死者是於中午至黃昏期間上吊。

現場沒有留下遺書，有指該角落一向人流較少，且今天下雨，公園遊人不多，故沒有人目擊事件，唯警方翻查公園之閉路電視，清楚可見死者自行上吊自殺，故列作自殺案件處理。

下雨的黃昏

　　最近的自殺個案真是太多了，為甚麼人貴為萬物之靈，心靈卻是如此脆弱如此容易動搖？難道沒有人知道，容易被影響的心理就是最大的弱點嗎？

　　我覺得這些新聞太令人哀傷了，令我的心情有點壞，是以我只好唱唱歌去放鬆一下：「你將離開我，飄到遠方去，那裡是個好地方，橘黃的天空，輕雨灑身邊，花草躺腳下，你的身體晃啊晃、晃啊晃、晃啊晃……」

惡魔面具

18

尋求改變

18 尋求改變

　　我沒有再去瀏覽網上瘋傳著的那些關於我的傳聞，網民把事情愈描愈黑，更自行加上太多幻想的情節，著實可笑。

　　高凡雖然不會再在我的生命中出現，但他倒是提醒了我一點，有一天媽媽會死去，到時就不會有人給我生活費了。可是，我這副樣子能怎樣呢？我可以做些甚麼去自己攢錢呢？

　　想著想著，我的眼瞼便慢慢合上，沉睡了過去。

　　一覺醒來時，已是第二天的中午，我躺在床上，突然心裡有一個想法冒了出來。

　　我拿起手機，在網上搜尋了一個關鍵詞，看了一堆資料。

　　我打開即時通訊程式，輸入了一個訊息，猶豫了一下，然後又刪掉，接著又再試著輸入，最後又刪掉。

　　我的心很懊惱，那個訊息是要發給媽媽的，但是我不知道是否真的應該這樣做，也不知道媽媽是不是真的能幫到我。

　　我瞪著熒幕上「整容價錢」的搜尋結果，嘆了一口氣。

　　對了，不知道媽媽有沒有看到網上關於我的討論和短片？不知她會覺得怎樣？但是無論如何，我知道她都不會跟我說

惡魔面具

甚麼，自從她改嫁後離開了這個家，就只是會給我錢，她給了我她的聯絡方法，卻從沒有跟我說話和聯絡，如果我問她借錢去整容，她會借我嗎？

我想暫停思考這堆問題，是以我又去看了看貓咪，餵了些食物給牠。

然後我在客廳坐下，寫第二封信給劉過雲，想勸他改過。

「自問人生中有甚麼是最重要的呢？」

當我寫了這句後，藍色的原子筆突然寫不出來，我只好去翻翻抽屜，找來一枝黑色原子筆繼續寫下去。

「首先當然是要做個知錯能改的人啊！」

我滿意地對摺信紙，放進了信封。

這個社會應該給予人改過、改變的機會，可是我有可能改變嗎？

去郵局寄了信後，我回到了家中，脫下太陽眼鏡和口罩，端詳著鏡子中的自己，也許，我的寂寞是源於沒有人懂得我的難過，沒有人明白我的感受。

18
尋 求 改 變

　　我抖擻精神，又開始在社交網站上尋找朋友，不過我不想再找男生了，我想找個能明白我的人。

　　我在尋找那些樣貌被大眾目光認為是長得醜陋或是肥胖的女生，我跟其中幾個打了招呼，可是她們都沒有回應我。

　　我太難過了，把頭像換成了一個在哭泣的卡通，然後在一個女生群組中發了一個帖文：「我長得很醜，醜得爸爸都嫌棄，拋棄了我和媽媽。我沒有朋友，就算被愛過，也是短暫的。我沒有工作，想改寫人生也沒有錢。我自問品性善良，不嫉妒別人的美，但哀傷於社會的膚淺。」

　　我深吸了一口氣，加上了最後一段：「美麗這回事跟我無關，女人難道就只可用美醜去評價、去決定成敗？死是我唯一的出路嗎？」

　　我的眼淚在眼眶裡打轉，渴望著有誰人願意憐憫我。

　　帖文出乎意料地得到很多迴響，很多人留言安慰我，或是留下哭泣的表情，她們都說外表不重要，但我逐一點按進她們的個人頁面，雖然不是每個都長得很美，但至少她們都不醜，大都化了妝穿上美麗的衣服拍下各式各樣的照片，如果外表真的不重要，她們又為何要悉心打扮？

惡魔面具

　　我向下一直瀏覽著留言，終於有一個留言吸引了我的注意。

　　那是一個叫Pretty Wong的人的留言，單看名字已經夠諷刺了，更有趣的是她的頭像照片，她確實算是長得醜，鼻子扁扁的，還配上大嘴巴和小眼睛，半張臉還有一個灰色的大胎痣，頭髮看來也是又乾又蓬鬆。

　　她的留言是這樣的：「我都係一個醜女，你睇我張相就知，但係我好幸運遇到一個好好嘅男人，我同我老公已經結婚三年，佢係一個整容醫生，見盡好多女人嘅真面目，佢成日話對方美醜唔會影響佢愛唔愛一個人，最緊要對方心地善良同識得愛人。世界上真係有好男人，你都一定會遇到！」

　　她的留言為我帶來了很大的鼓舞，我很想跟她聊聊，好讓我完全放下心結。

19

Pretty

Pretty

我發了個訊息給她:「多謝你鼓勵,可以同你做朋友嗎?」

她很快就回應:「當然可以啦!」

「可唔可以講多啲你同你老公嘅故事畀我知?」

於是,Pretty把她的愛情故事娓娓道來,她這個人非常坦率,對很多人來說,確是值得交的朋友。

原來她因生得醜,也吃過不少苦,小時候上學被排擠欺凌,長大後找工作也不順利,幸好有親人介紹去當了個文員。

她因為沒有朋友,日常也沒有甚麼娛樂,所以大部分薪金都可用來儲蓄。她儲到一筆錢後,竟動了念頭想去整容。

於是她便找了一個整容醫生,也就是她現在的丈夫Patrick。

「其實我當時都唔知要整幾多錢,我大約儲咗十萬蚊就去搵整容醫生。我喺Patrick個診所檢查咗幾次,由佢幫我睇下點整同埋報價。當時,我覺得佢份人都好健談,明明醫生嘅時間應該好寶貴,但係每次檢查,佢都花好多時間同我傾開偈,問我好多個人興趣、日常生活嘅嘢。」

惡魔面具

　　當Pretty第三次來到Patrick的診所，她不禁問：「醫生，其實要檢查幾多次喋？」

　　Patrick示意本來在診所的護士離去。

　　Pretty不禁心中存疑，她還未開口，Patrick便一臉抱歉道：「王小姐，好對唔住，我唔可以幫你做手術？」

　　Pretty聽後立即非常緊張，問：「點解？係唔係我有咩問題？定係價錢會好貴？」

　　Patrick搖搖頭：「唔係……只係……我唔想你成為我病人，而且……」

　　Pretty後退了一步道：「醫生，我唔係好明你意思。」

　　Patrick道：「我冇惡意，不過我想知道點解你想整容？」

　　Pretty不明所以，但也只好坦誠回答：「我個樣……好影響我日常生活，我冇朋友，冇愛情，又搵唔到心儀嘅工作……我……」

19

Pretty

「咁係因為啲人唔知道你有幾善良，個心地有幾好。」Patrick打斷了她的話。

Pretty用匪夷所思的眼神看著他：「咁……就係因為我生得醜，所以冇人願意了解我呀！」

「我願意，事實上，我對你一見鍾情。」Patrick頓了一頓才又道：「好對唔住，可能嚇親你，但係我只係覺得，你冇需要因為其他人嘅膚淺而受皮肉之苦。」

Pretty在訊息中對我說：「我當時直頭覺得佢係痴線，點會有錢都唔賺㗎？重有堂堂一個大醫生，點會睇得上我？所以我驚到即刻轉身走咗。」

「咁之後點解你哋會喺埋一齊？」我很好奇。

「嘻！後尾我諗諗下，反正我都冇朋友，而家有人話接受我，點都應該試下呀！」

「你冇懷疑過，佢係對個個女病人都係咁？」我問。

「咁又冇呀！我呢份人都算易信人，可能傻人有傻福，事實上我都好少信錯人。」她回答。

惡魔面具

我不禁對著熒幕微笑，問：「於是，你就主動搵返佢？」

「嗯，我咪打電話問佢可唔可以做朋友先。」

Patrick很開心地答應了，從此Pretty不再喚他作「醫生」，Patrick也不再喚她作「王小姐」，在二人相處的過程中，Pretty發現Patrick真的是一個善良的人，他從來不介意她的樣貌，而是很欣賞她的內心。

「然後呢？」我問。

她發了一個害羞的表情符號來，再回覆：「然後，我哋好自然咁開始談戀愛，過咗兩年就結婚。」

「真羨慕。」

「嗯，其實佢都有話如果我真係想整容，佢可以介紹醫生朋友幫我做，只係佢覺得我唔需要。Momo，我相信你都會同我一樣，遇上識欣賞你嘅人，所以唔好灰心。」

我在黑暗中看著發光的熒幕，覺得很羨慕她能遇上Patrick，也對她那天真單純的性格感到……佩服。

19

Pretty

　　我敲打著鍵盤，回覆她：「多謝你呀，我一定會努力改變自己嘅人生。我以後可唔可以成日搵你傾偈？我覺得你真係好親切，我好似多咗個姐姐一樣。」

　　「當然可以啦！」

　　「我而家要瞓啦！我習慣好早起身，如果一起身就可以同姐姐你傾偈就好啦！」

　　「好呀！我而家唔使返工，都可以早啲瞓早啲起身。」

　　「係咁，我4:20起身就叫你啦！」我發送完訊息後就關上電腦，沒有等待她的回覆。

　　我看著鏡中的自己，我知道我的容貌跟Pretty的容貌不是同一種類，但是我和她一樣都擁有美麗的內心，我一定能改變我的人生的。

惡魔面具

20

音樂

20 音 樂

　　第二天，鬧鐘在 4:20 就響起，我立即從床上坐了起來，然後打開電腦，跟 Pretty 說早安。

　　「早安，Momo。」

　　想不到她這麼善良，竟然真的這麼早起，如此善良的品性，怪不得能得到 Patrick 的愛。

　　「係呢，你同 Patrick 有冇仔女？」我問。

　　「冇呀，我哋唔打算生小朋友。」

　　「咁就好啦。」我答。

　　「係呀，可以過二人一貓世界。」

　　「貓？」我突然想起我昨天沒有餵過貓，急忙跑去打開媽媽的房門看看。

　　貓咪毫無神氣地看著我，幸好我早前在超市買了些杯麵，便立即沖了兩杯給牠。

　　當我回到電腦前時，看到 Pretty 已回覆了我：「係呀，你睇下我隻貓，佢好黐我老公。」

惡魔面具

　　她旋即發來了幾張照片，是一隻毫不可愛的小貓依偎著一個俊俏男人的照片，看來那就是Patrick。他長得一張書生臉，皮膚很白，架著一幅眼鏡，實在十分好看。一個男人，怎能如此內外皆美？

　　「貓咪好可愛。」我看著熒幕，雙眼閃閃發光。

　　「係呀，你都鍾意貓？」

　　「係，我都有養貓，不過我隻貓唔鍾意影相，有機會我帶你見佢吧！」我答。

　　「太好啦！Momo，我覺得我哋有好多共通點！」

　　「係呀，簡直一見如故。」我還未等她回覆，又打了個訊息：「不過，我有個嗜好，唔係咁多人鍾意，如果呢樣你都鍾意，我會好開心。」

　　「係咩嗜好？」

　　我發了一個音樂檔給她。

　　「聽音樂？好多人都鍾意聽音樂㗎！」她回應。

20
音 樂

那是一首長達一小時的歌，是我早年在網上無意中聽到的，聽說是從暗網外流出來，當時我只聽了少許，音樂的旋律很迷幻，還有一些莫名其妙的人聲夾雜其中，但我無法聽到人聲是在說甚麼。

我記得那時我聽著聽著，就覺得整個人昏昏沉沉的，然後我就把音樂檔儲存了下來。

「呢種音樂唔同，你初初聽會覺得奇怪，甚至有啲唔舒服，但其實係心靈治療嘅音樂嚟，你快啲試下聽，要堅持聽一日，我哋一齊一路聽一路傾偈。」

「好呀！」Pretty毫不猶豫地答應了，天真的人真是太可愛。

我跟Pretty東聊聊西聊聊，很快過了十分鐘，我向她確認：「係唔係聽緊音樂？」

「係，不過好似感覺怪怪地咁，有少少唔舒服。」

「呢種心靈治療音樂係咁，只要堅持聽，你就會變成更好嘅人，Patrick會更加愛你。」我邊發出訊息，邊看著窗外的天色慢慢亮起來，清晨的陽光透進恬靜無聲的房間內，實在十分舒適。

惡魔面具

「咁犀利,不如我介紹埋畀Patrick聽?」

「Patrick咁叻咁好,如變得更好嘅話,你唔怕佢會移情別戀?」

「其實,我的確好冇安全感,好怕失去而家嘅幸福。」

「我只係講笑,Patrick點會唔愛你呢?」

「嗯。Momo,我突然覺得有啲唔舒服,晏啲再傾?」

「你唔想同我做朋友嗎?」我悲傷地問。

「點會呢?我只係想休息一陣。」

「我之前都試過網上識朋友,對方明明應承陪我一日,但最後傾傾下話想休息,之後就冇再回應過我。」

「Momo,我唔會咁。」

「咁你可以陪我繼續傾嗎?不如我講多啲我嘅嘢你知。」

「都好呀。」

「其實我以前曾經有一個好朋友。」我笑了笑。

音 樂

「曾經?」

「嗯,佢過咗身。」

「Momo,你一定好傷心。」

「嗯,佢係我同學,可能大家都生得唔靚,所以好易做到好朋友,就好似我同你咁......」

我看看時鐘,Pretty已大約聽了一小時的音樂了。

「Pretty,記得我頭先畀你嘅音樂要重新播放再由頭聽。」我提醒她。

「嗯。」

「講返我朋友,後尾佢都好似你一樣搵到個好錫佢嘅男人,本來我都好開心佢可以搵到幸福。」

「嗯。」

「但係最後,呢個男人做咗啲嘢,令佢離開咗呢個世界。」

「嗯。」

惡魔面具

21

安
排

安排

有種人天生就是天使，Pretty就是這種人。

她天真、善良、容易相信人，我真擔心她會被傷害，因為天使總是容易被惡魔所害，於是，我只好把我朋友的遭遇告訴她。

「講起嚟，我呢位朋友咁啱個英文名同你一樣，叫Pretty。」

「嗯。」

「佢雖然生得唔靚，但係總算係青春少艾，只不過結婚三年之後，佢老公就被另一個更後生而且又靚嘅女人吸引住，背住佢去偷情。」

「嗯。」

「Pretty本來一直以為自己好幸福，對於佢老公成日加班嘅情況竟然冇留意到，咁都好難怪佢，因為佢老公一到星期六、日就會喺屋企扮好好先生，但其實平時喺公司同女同事鬼混。」

「嗯。」

「Pretty知道之後好傷心，佢好清楚知道係因為自己太醜

樣，所以唔值得被愛，佢重開始有幻覺，然後有一日，佢就突然喺一間酒店房入面自殺死咗。」

「嗯。」

我笑了笑，瞪著熒幕中的對話，又發訊息問：「Pretty，你仍然聽緊音樂嗎？」

「係，聽緊。」

「好聽嗎？」

「好聽。」

「你驚Patrick有外遇嗎？」

「嗯。」

我滿意地暫時關閉了對話畫面，想起昨天忘了寫信給劉過雲，於是我便想執筆想寫，但突然不知為何心血來潮，明明執起了筆卻又再次放下，然後上了新聞網站看看，竟見到以下一則新聞：

21

安 排

男子於長沙灣警署門外下跪
自稱為區內強姦案積犯

長沙灣區近半年發生了四宗強姦案，警方尚未查出疑
犯。惟昨晚十時，一名年約三十歲男子於長沙灣警署門
外下跪，聲稱自己過去半年在區內犯下多宗強姦案，警
方欲將其帶返警署調查，但男子情緒激動大力掙扎，且
胡言亂語稱收到妖怪來信要他自首，引來途人圍觀，擾
攘十數分鐘後，警員將其制服，暫未知男子是否有精神
病紀錄或與強姦案有關。

　　在新聞內文的旁邊，還附上了那男子跪在地上的照片，我
認出他就是劉過雲。

惡魔面具

「點解會咁？點解會咁？點解會咁？」我詫異得不停自言自語，為甚麼劉過雲會去自首？他說收到妖怪來信要他自首又是甚麼意思？

我站起來在家中來回踱步，對這件事百思不得其解。

「呀！點解佢會自首？咁樣會坐監㗎！」我大叫一聲，更用腳大力地踢了媽媽的房門一下，一不小心嚇倒了裡面的貓咪。

我立即溫柔地隔著房門道：「唔好意思，嚇親你。」

貓咪叫了一聲回應我。

我深呼吸了幾口氣，總算冷靜了下來。

我把本來因寫信而拿出來的紙筆收起，整頓了一下情緒，重新回到電腦面前。

大力地按了一下滑鼠，把顯示著那宗新聞報導的畫面關掉，再打開了跟Pretty的對話框。

「Pretty？」我呼叫她。

21

安 排

「喺度。」

「我尋日去咗睇醫生，診所啲護士都又後生又靚，真係令人羨慕。」

「嗯。」

「Pretty，我哋係好朋友，我好想跟你見面，好唔好？」

「好。」

「Pretty，一諗起要同你見面，我就好緊張，不如我哋去一個私密啲嘅地方見面，好唔好？」

「好。」

「你到時去酒店訂間房再講房號我知，我哋可以促膝長談，更可以一齊聽音樂，好唔好？」

「好。」

「你可以繼續安靜聽音樂啦，聽日朝早十點見啦。」

惡魔面具

「嗯。」

我真期待第一次跟女性朋友見面。

22

見
面

22 見 面

　　我叮囑了Pretty明早要4:20起床後，便滿心歡喜地打開衣櫃，想挑選明天要穿的衣服。

　　衣櫃內雖然有很多衣裙，但是大多是黑色的，不是黑色也是深灰色的，這些是我喜歡的顏色。

　　可是從Pretty社交網站上的照片看來，她應該是喜歡穿碎花圖案的衣裙。

　　我猶豫了一下，然後走進了媽媽的房間，貓咪在床上昏睡著，牠看來好瘦。我見牠睡了，便把房間清潔一番，我總是在牠睡覺時這樣做。地上有一堆紙，上面密密麻麻爬滿了文字，我逐一拾起來仔細端詳，然後滿意地依次序疊好放在媽媽的化妝桌上。

　　打開媽媽的衣櫃，雖然她已經搬走了，但卻留下了少量舊衣裙。

　　媽媽也喜歡碎花的圖案，我看到其中一條跟Pretty照片中的一條裙子十分相似，便穿上在化妝桌旁的連身鏡前看看，雖然我的身材比媽媽瘦小，但穿起來也只是略寬鬆了點。

惡魔面具

「就呢條啦!」我笑著說,然後又忍不住在鏡子前轉了個圈才換回自己的衣服。

突然,我瞄到鏡子前的地上有一枝藍色的原子筆,我把它拾起來,想起那天寫信給劉過雲的中途,那枝藍色原子筆竟沒墨水了,然後我就轉用了一枝黑色的繼續寫下去。人生啊,果然難以每件事都精準無誤呢!

我對著原子筆嘆了一口氣,重新把它放到桌上。

我拿走了碎花裙,關上媽媽的房門,回到自己的床上,把鬧鐘調到第二天早上8:00,便躺下沉沉睡去。

第二天的天色晴朗,溫暖的陽光照耀在碎花裙上,實在美極了。

我擠在港鐵的車廂時,便收到Pretty傳來酒店的房號,所以去到酒店時,我可以像上次見軒団時那樣,自顧自地直接到酒店房間。

「咯咯。」我輕敲了門。

22 見 面

開門的自然是Pretty，不過我有點認不到她，因為她真人比照片更醜。

我們今天穿的裙子看來很相似，令我內心不禁高興起來。

我揮揮手道：「我係Momo。」

她的眼神有點恍惚，問：「Momo，你唔舒服？點解戴晒口罩同太陽眼鏡？」

我欠身進了房間，關上了門，然後道：「唔係，我平時出街都係咁，因為我太醜樣，唔想畀人見到。」

她皺了皺眉：「我明白，我都好怕畀人見到。」

「你已有Patrick疼愛，怕咩呢？」

她轉身坐在床上，嘆了一口氣：「佢最近成日加班。」

「你唔打電話去診所搵佢，問佢可唔可以早啲返？」

「我有打過，不過佢個姑娘聽電話，話佢好忙。」她一臉愁容，跟我印象中天真、樂觀的她有些不同。

惡魔面具

　　我打開手機，播放著那首我介紹給Pretty的音樂，然後再從帶來的袋子中拿出了刀子和數個蘋果，對她說：「我買咗啲日本蘋果請你食，我幫你批皮呀，一路食一路聽音樂。」

　　「好，多謝你，Momo，好開心識到你呢個朋友。」

　　她聽著音樂，一邊吃蘋果，一邊跟我閒聊著Patrick的事，然後話題便轉到了我們的外貌上。

　　「Pretty，你真係唔打算整容？」我說。

　　她搖搖頭：「我都唔知道，Patrick就話我唔需要整，但係……我對自己真係好冇自信。」她頓了一頓又說：「尤其呢幾日，我望住塊鏡，覺得自己好似醜樣咗。」

　　我見她已把蘋果吃完，便用濕紙巾抹了抹整把刀子，把刀子放了在桌上，然後站到鏡子前，揮揮手示意她過來坐下。

　　她看著鏡子，一臉愁容地道：「Patrick可能終有一日會被其他靚嘅女仔吸引。」

　　我俯身把頭靠著她的臉，使我們兩個的臉部都映照在鏡中。

22 見 面

「不如諗下，如果Patrick真係有外遇，你會唔會不惜一切，死都要復合？」我在她耳邊一字一句輕聲說。

她垂下眼瞼，只應了一聲：「嗯。」

音樂在房間裡迴盪，我又問她：「你想睇下我個樣嗎？」

「好。」她重新看著鏡子。

我慢慢脫下太陽眼鏡和口罩，她是除了軒囝外，第二個看到我容貌的朋友，但她沒有如軒囝般反應激烈，只是一臉茫然地看看鏡中的我和她。

「醜樣嗎？Patrick會嫌棄呢個樣嗎？」我在她耳邊低語。

惡魔面具

23

死
亡

23

死亡

Pretty突然看著鏡子淚流披面，哭得嘴唇不停顫抖著，氣也喘不過來。

我站直了身子，拿起自己的手袋和手機，重新戴上太陽眼鏡和口罩，然後用紙巾墊著門把開門離去——我必須承認我有點潔癖。

離開酒店的時候，陽光照在我雪白的肌膚上，加上我瘦削的身形和飄逸的碎花裙子，足以讓一些男途人的目光逗留在我身上。

我踏著高跟鞋婀娜多姿地走進了一個大型商場，啊！我這刻的心情就是想瘋狂購物。

走進一間賣女裝服飾的店舖，我試穿了幾襲碎花裙子，然後統統買下了。

回到家裡，我脫下本屬於媽媽的裙子，扔進了她的衣櫃。貓咪慵懶地看著我，我在牠面前試穿了一件又一件新買的裙子，在房間中愉快地轉圈。

「好唔好睇？」我問牠，但牠卻由始至終只是沉默不語，用手玩弄著牠的頸圈。

惡魔面具

　　把新買的裙子放進我的衣櫃後，我便百無聊賴地瀏覽著Pretty在社交網站上的相冊，裡面放滿了她和Patrick的合照，有在外地旅行的，有診所搬遷後開幕的剪綵活動，也有在高級餐廳用膳的，還有一些日常的生活合照。照片中的Pretty在Patrick的身邊笑得很開懷，真是令人羨慕。我看得出，她的善良與天真，對Patrick來說真是有莫大吸引力。

　　我把畫面轉回到她的個人頁面，發現她剛更新了近況：「我不想面對你出軌的事實，就讓我在目擊你跟護士的一切前，悄然離去。」她還配上了酒店房間窗戶外望的街景。

　　這麼悲觀的女人，跟她做朋友也似乎不會幫到我甚麼，為了我自己的心靈健康，我只好到之前跟Pretty對話的群組，把我的留言刪掉。

　　我爬到床上躺下，讓午後的陽光照射著我的身體，然後溫暖地午睡去。

　　夢中的我被一個漂亮的軀殼包裹著，我愉快地牽著一個男人的手，我看不清楚那男人的臉，只知道他穿著一件白色很長的衣服。

　　當我從美夢中睡醒時，已是晚上了，肚子餓得咕咕作響，但我實在不願煮食，只在廚櫃裡找了些麵包，跟貓咪共享著。

23
死亡

　　我在梳化攤坐著，用手機上網四處瀏覽，話說回來，香港人真的很善忘，早前網上說收到我訊息的那些熱論，現在已完全沒有人回覆了，也沒有人再提起高凡。

　　我打開新聞網站，不斷地重新載入，然後到深夜時，一則新聞報導出現了：

整容醫生妻酒店自殺
網上留遺書怨丈夫出軌

一名廿七歲王姓女子今午被發現死於旺角一酒店內，警方調查指女子今早獨自登記入住酒店，數小時後於社交網站上載照片及心聲：「我不想面對你出軌的事實，就讓我在目擊你跟護士的一切前，悄然離去。」丈夫及朋友見狀紛紛致電死者不果，於是報警求助。

警方憑死者上載之照片查得其位置，據稱，死者屍體被發現時，右手持有生果刀，左手有明顯傷口，懷疑割腕自殺，警方列自殺案處理。

惡魔面具

新聞的旁邊還附上一張照片,下方寫著:

死者丈夫為整形外科醫生,得悉事件後神情哀傷。

照片中的Patrick在哭泣,真的令人心痛。

也許因為午睡了的緣故,我現在精神十分飽滿。在這寧靜的午夜,Pretty自殺的事件卻迅速在網上不斷被轉載和發酵,Pretty和Patrick的照片、Patrick的背景和診所地址都被一一「起底」披露於人前;最令我驚奇的,是有網民真的公開了Patrick診所其中一個護士的照片,還言之鑿鑿地說她就是情婦。

有些網民無情地嘲笑Pretty的容貌,又大讚那護士的美貌,說很明白和體諒Patrick出軌的行為;但也有很多網民強烈批評Patrick和那護士是醫學界敗類,呼籲大家不要惠顧他的診所;不過,也有些人聲稱自己是Patrick的朋友或舊同學,指他為人專一、老實,沒有可能出軌。

雖然事件在網上被討論得熱哄哄,不過這又有甚麼好擔心的?網民的善忘是最令人安心的。

24

喪禮

24 喪禮

　　我在Pretty的社交網站頁面上找到了Patrick的帳戶，三天後，我發了個訊息給他：「你好，請問你係唔係Pretty嘅丈夫，我係Pretty嘅朋友Momo，我之前成日陪佢傾偈，但最近幾日，佢都冇覆我，請問佢係唔係好忙？我有啲擔心。」

　　他沒有即時回覆我，我看看時鐘，是下午四時，想必他正在診所忙碌中吧？

　　我放下手機，去看了看貓咪，瞄到化妝桌上那堆密密麻麻寫了字的紙又多了。

　　我把從冰箱取出來的一盒雙重巧克力蛋糕放在地上，這是牠最喜歡吃的。

　　關上房門，我攤坐在梳化上，伸直手在透窗而進的陽光下看著自己的手指。這雙手，確是沒有做過甚麼壞事，我最多只用它敲敲鍵盤、切切蘋果而已，至於寫信，那更說不上是甚麼壞事了。

　　窗外的天色慢慢暗下來，「叮」，是收到訊息的聲音。

　　我立即坐直身子，果然就看到Patrick的訊息：「你好，你係Pretty嘅朋友嗎？好抱歉我之前都冇聽過佢提起有朋友，所以冇辦法通知你，Pretty佢唔可以再覆你，因為佢早幾日過咗身。」

惡魔面具

「過咗身？你講笑？佢明明冇病冇痛。」我回覆。

「唔係病死，佢係自殺死。」

「自殺？」我發了一個訊息，過了不消半秒，又再說：「係因為你嗎？」

他沒有回覆，過了五分鐘都沒有回覆。

我拿起手機回到房間，打開電腦繼續等待，又過了五分鐘，我才終於等到。

「你咁講，係因為Pretty同你講我有外遇？佢話我同一個護士有關係？」

「嗯，不過，我都有勸佢唔好亂諗，但佢就係唔聽。」

「我都唔知點解佢會咁諗，可能係我成日加班，令佢諗多咗……」

「係咁，佢嘅喪禮會幾時舉行？你介唔介意我嚟鞠躬？」

「點會介意？好多謝你嚟睇Pretty。」

「我……我其實生得好醜樣，我怕嚇親到時嚟喪禮嘅其他

24

喪 禮

人。嗯,事實上,之前Pretty都一直嫌自己醜樣,雖然佢話你冇嫌棄過佢,但佢嘅內心一直都好介意自己個樣,可能因為咁樣,令佢好自卑,對婚姻冇信心。」

「呢啲嘢……Pretty一直都冇向我提過,好多謝你。至於喪禮,如果可以嘅話,真係好想你可以出席,我相信Pretty都會好想你同佢道別。」

「嗯,我會㗎,到時見。」

我從來沒有到過喪禮,於是我上網搜尋了一下,想知道喪禮的流程和禮儀。

「呼!」我輕呼了一口氣,心裡真的期待呢!

到了喪禮那天,我特意穿了生日當天買的黑色連衣裙,戴上太陽眼鏡和口罩,故意在夜深沒甚麼人時才抵達殯儀館。

天生醜的人,生前已不太願意被看見,死後卻要乖乖躺著被人瞻仰,我真替Pretty難過。

我鞠躬後走到Patrick面前,嗚咽著說:「你好,我係Momo,係Pretty嘅朋友。」

「你好,好多謝你喇。」他雙眼通紅,看得出他很傷心。

惡魔面具

　　因為是深夜，這時靈堂上除了我，就只有Patrick和Pretty的家人，我瞄了瞄那對長得跟Pretty有點像的老年人，相信他們是Pretty的父母，而他們正以不友善的目光瞪著Patrick。

　　我緩緩地走過去，握了握Pretty媽媽的手，溫柔地道：「我係Pretty嘅網友，希望你哋節哀順變。」

　　她一聽到我提起女兒，眼淚就不停湧出，然後長嘆了一聲道：「多謝你，有心。」

　　然後Pretty的爸爸忍不住道：「早知係咁，我唔會界佢嫁界呢個搞三搞四嘅男人！」

　　我提高聲線道：「世伯，其實Pretty都有同我提呢件事，我相信只係Pretty多心，因為一直以嚟，佢都覺得父母生得佢好醜樣，佢好自卑，覺得自己配唔起Patrick，所以先胡思亂想。」

　　Pretty的媽媽聽過後哭得更難過，而她爸爸則垂頭不語。

　　我轉過身想找個地方坐下來，卻看到Patrick抿著嘴在看我。

25

照片

25

照 片

我向他點了點頭，然後安靜地坐下。

我在靈堂一直逗留到晚上12時，Patrick過來跟我說：「夜啦，多謝你咁有心。」

「嗯，咁你都唔好咁傷心。」我溫柔地道。

「我送你去門口。」

我們肩並肩地步出靈堂，乘升降機到達殯儀館的出口。

我轉身道：「再見。」

「Momo，介唔介意交換一下電話？雖然Pretty已經唔喺我身邊，但係我想聽多啲佢對你講過嘅心事，遲啲可以見個面嗎？」

我點點頭，旋即跟他交換了電話，然後我再一次道別：「再見，Patrick。」

我背著他遠去，慢慢地走著，涼風吹動著我的裙擺，使得我白皙的大腿露了出來。

惡魔面具

回到家裡，我急不及待向貓咪訴說著今天的一切，說實在的，我覺得我快要有新的朋友了。不過，有一件事一直在我心裡，令我沒法釋懷。

在我成長的階段，就只有媽媽陪在我身邊，我一直都沒有見過爸爸，我常常在想，他為甚麼狠得下心去拋棄自己的妻女？他現在過得怎樣？他有再婚嗎？我突然比以往任何時候都想見他。

我在媽媽房間的地上坐了下來，貓咪用一個憐憫的眼神在看我，我忽然想，雖然媽媽已經搬走了，但是她留下了一些她不穿的舊衣裙，或許除了衣裙外，她還留下了其他關於爸爸的線索。

我花了些時間翻著衣櫃、抽屜，卻都沒有找到甚麼，當我想放棄之際，卻見到貓咪一臉緊張地看著我，我發現牠奇怪地繃緊著身體，擋住了下方的枕頭。

我直覺覺得那兒似乎有些甚麼，便一手推開了牠，拿起了枕頭，把枕袋拆下，卻沒有發現，我甚至把枕頭割開，把裡面的棉花都倒了出來，卻仍是一無所獲。

照 片

　　正當我疑惑之際，貓咪又伏到本來的位置，我再次推開牠，但牠這次有點用力地堅持著，我好不容易才把牠推到了地上。

　　我拉開床單，原來床單和床褥之間，放了一張照片。那是一張泛黃的男女合照，裡面有年青模樣的媽媽，那麼旁邊那個長相俊俏的男人，應該就是爸爸了。

　　我突然想起媽媽說過，如果想夢見誰的話，就在睡覺時把照片放在頭部的下方，這就會跟想念的人在夢中相見。

　　看來在爸爸離開後，媽媽一直都這麼想念他，幸好兩年前，她終於找到幸福，大概她把照片留下來，正是因為她心中已沒有爸爸了吧。

　　我翻到照片的背面，上面用原子筆寫著：「家儀、鑑鑫，1996。」

　　家儀是媽媽的名字，那麼鑑鑫應該是爸爸的名字了吧？

　　我袋起了照片，彎身執拾著剛才被我弄得一塌糊塗的房間，期間貓咪一直沒神沒氣地看著我。

惡魔面具

執拾過後，我回到房間，在網絡上搜尋他的名字，看看有沒有甚麼線索。

我看著熒幕上的搜尋結果，點進去看他的照片，比對著我手上的合照，我真後悔沒有早點在媽媽的房間找尋有關爸爸的線索，原來他是那樣近在咫尺。

原來我的爸爸，是附近一間中學的中文科老師，全名李鑑鑫，雖然在學校網站的教職員照片中，可以見到爸爸的容貌蒼老了不少，但確確實實就是我手上那照片中的人。

身為一個教師，竟然拋棄自己的妻女，我恨他也是人之常情。

有種人天生就是惡魔，拋棄妻女的人就是惡魔。

26

爸爸

爸爸

第二天下午，我來到爸爸任教的中學，站在校門不遠處安靜地等著；不論如何，我想親眼看看這個應該被我稱呼為「爸爸」的人。

下午三時多，很多學生紛紛踏出校門，但似乎還未有老師離開。

下午五時多，有幾個學生離開時，回頭跟校工道別，然後校工便把校門的鐵閘半掩上。

我沒有上過中學，不明白為甚麼學生會在不同時間下課，也不知道老師會在甚麼時間下班。

我望向學校的窗戶，除了二樓外，其他都關了燈，難道二樓就是教員室的所在？

天色漸暗，我見到有些似乎是老師的人離開，但還是看不見爸爸。

終於，到了晚上八時，我見到教員室的燈關掉；不久，爸爸推開大閘出來，我一眼便認得他了，而他旁邊有一個女同事。

惡魔面具

　　他們沿著大街往前走，我在後面一直跟著，我本來猶豫過是不是應該跟爸爸說話，但是有他的女同事在，我就打消了念頭，又或者要等他們分別時才可以上前。

　　爸爸的容貌就跟我在網上看到的一模一樣，我可以想像為何媽媽會愛他，因為他即使現在已是中年，仍看得出確是一個俊俏的男人。

　　我一直跟著他們走了大約十五分鐘，期間他們到一間店舖買了些壽司，然後就來到了一個私人屋苑，他們一起走進去了，而在進門的一刻，我見到爸爸用手緊抱了那女同事的腰。

　　我突然好像明白了甚麼，但思緒仍是有點混亂，使我呆立在屋苑前久久未有離開。

　　不知時間過了多久，我竟然又見那女同事出現在屋苑出入口，卻沒有見到爸爸。

　　我跟蹤著那女同事，最後她登上了往上水的小巴離去了。

26

爸爸

我有點摸不著頭腦，往後幾天，我都在校門外觀察，他們二人每天都是最遲離開，然後便會去買食物，再步行到那個屋苑，一小時後，那女同事會自行離開。而有好幾次，爸爸在進入屋苑的大閘後，都會抱抱那女同事的腰，又或是牽她的手。

到了週末，Patrick本來想約我吃晚飯和聊聊Pretty的事，可是我說我近日太忙了，遲些會再聯絡他。

而週末後，事情終於有了變化，這天我竟然見到那女同事在五時多就跟幾個女同事一起離開校門。

我聽到其他人大聲跟她道別，還祝她結婚週年快樂。然後她愉快地跟同事揮手後，便走向一個在校門前等待著的男人，還跟他立即牽起手來。

奇怪了。

我快步跟著他們，他們來到往上水的小巴站，我便跟著他們排隊。

「你啲同事都咁早收工，你平時就日日加班到九點幾，飯都冇得食。」那男人對她說。

惡魔面具

「冇辦法呀!我想升職呀!」女同事說。

「老婆,我怕你捱壞,再講,我哋好耐冇一齊晚飯。」男人搭著她的肩膀。

聽到這裡,我又再明白了多一點,我不禁輕聲說:「捱壞?晚晚上個男同事屋企開大餐就真!」

那女同事一臉惶恐地回頭看我,可惜那男人卻似是聽不見。

我別過頭轉身離去,心裡有了一個想法。

那天之後,爸爸跟那女同事又一如以往地一起下班、買食物,再在屋苑逗留。而因為想看清楚親生爸爸的樣子,我用手機拍下了他的一些照片。

在一個寧靜的深夜,我餵過貓咪後,便坐在電腦前。

從學校的網站得知,那女同事也是中文科的老師。我打了一封長長的電郵,附上了一些照片,發到學校的電郵地址,同時也貼上了討論區。

27

壞掉的人

27 壞 掉 的 人

「希望校方關注！教師工作量繁重，下班後仍要買外賣到同事家，一邊晚膳一邊繼續工作！」

這是我寫的電郵和討論區帖文的內容，雖然爸爸拋棄了我和媽媽，現在又跟一個有夫之婦一起，但我太善良了，我選擇去原諒他，我不想傷害他，我只想他不用再跟那女同事加班。

我關燈上床睡覺，睡夢中爸爸、媽媽和我，一家三口樂也融融。

夢境始終不是現實，雖然我盡可能保持著純真的心，但有時我還是覺得現實是醜陋的。

當我睡醒在床上玩著手機的時候，看到一則娛樂新聞，是那個跟樂壇女天后愛情長跑多年、數年前才結婚的男歌星，竟然跟比他年輕廿一年的女藝人偷情，聽說已經一段日子了，還是那女藝人做主動的。

噴，世界真骯髒。

我實在看不下去，便把畫面轉到討論區，看看我昨晚的發帖有甚麼回應。

「加班？定係安心偷情呀？」

惡魔面具

「起底！狗男女！」

「我係呢間中學畢業生！個男教師份人好鹹濕！」

「個男教師叫李鑑鑫，女教師叫朱小琦！」

想不到，一則關於教師工作量繁重的討論，竟然循這個方向發展，難道是因為明星的出軌事件影響？

到了下午，我如常到校門前，希望向校方反映之後，能看到爸爸早點下班。

我一直等，等到五時許，便看見那名叫朱小琦的女教師一臉憔悴地獨自離開校門。太好了，爸爸今天不會跟她一起了！

但我只是高興了大約半分鐘，因為很快我就見爸爸跑出來，然後站在校門前東張西望，看到正向小巴站方向走去的朱小琦後，他便急急跑過去拉著了她的手臂。

只見朱小琦用力甩開了他，但爸爸又再捉住了她的手腕。

我怕被他們發現，只能慢慢靠近過去，因為有一段距離，令我沒法聽得清他們一邊拉扯一邊在說甚麼。

27

壞 掉 的 人

　　他們拉扯著，最終雙雙走進了一條後街，我急忙跟上前去，欠身在轉角的牆邊，終於可以聽清楚他們的說話了。

　　「你點解全日都冇同我講嘢？收工又自己走先？」爸爸著緊地問。

　　「我唔想再咁落去，我今日晏晝同老公傾咗，佢原諒咗我。」朱小琦帶著哭音說。

　　「你唔係話唔愛佢？我哋一齊唔係好開心咩？」

　　「對唔住。」朱小琦抽泣得很厲害。

　　爸爸突然用力抱住她道：「校長今日應該都有同你傾過？佢逼我哋辭職，我已經冇咗份工，我唔可以冇埋你。」

　　朱小琦用力掙扎推開了他道：「對唔住，我冇咗份工，唔可以冇埋我老公。當初你都知我已婚，點解你重要追我？」

　　爸爸一臉茫然地道：「因為我真係愛你。」

　　「算啦，你唔好再搵我，我要返去我老公身邊。」朱小琦說罷轉身想離去，爸爸卻又再次拉著她。

惡魔面具

「你喊，即係代表你根本唔捨得我。」爸爸問。

朱小琦回頭看著他道：「我喊，係因為我怪自己太想升職，當日你追我嘅時候，唔係話過你係中文科主任，可以提攜我升職咩？」

「你咁講咩意思？」爸爸鬆開了手。

「其實你都唔係真係愛我，你只係用可以升職嚟作為要我愛你嘅誘餌，而我真係好蠢咁上釣。我覺得自己好丟臉、好討厭、好噁心、很陌生，我有深刻嘅反省，點解唔可以控制自己去犯呢個錯誤……」朱琦頓了一頓道：「我聽日會遞辭職信，會賠埋錢即日離職。」

「小琦……」爸爸無力地喚著她，但她最後還是轉身從後街的另一端離去。

爸爸慢慢地走了幾步，靠著牆一臉頹然，他不住喃喃自語道：「工又冇……愛情又冇……工又冇……愛情又冇……」

我緩慢地踏出腳步，向爸爸走去，但他好像完全察覺不到有人走近，一直到我已站在他面前，他才無神地抬頭看我。

壞 掉 的 人

「你好，好耐冇見。」我溫柔地道。

「你係邊個?」他問。

我伸手拉下太陽眼鏡和口罩道:「唔認得我?」

他目瞪口呆地看著我，然後後退了兩步，結結巴巴地說:「我……我唔識你。」

我走前一步說:「可能喺你眼中，我一出世已經係一個壞咗嘅人，但係，」我頓了一頓才繼續道:「由你唔要我嗰日起，你都係一個壞咗嘅人，爸爸。」我邊說邊靠上前。

惡魔面具

28

對
話

28

對 話

這個世界最美麗的人，就是明明對方傷透了你，但你卻仍會擔心對方，為對方以後的路著想。

我真的很想爸爸變得更好。

「爸爸，你可以唔認我，死嗰日都唔認我都得，可能咁樣你會好過啲……」我靠前跟他幾乎鼻尖貼著鼻尖，一字一句地道：「完全唔使怕我唔開心，結果係點我都唔會介意。」

雖然我口中這樣說，但他看我的眼神確是令我心碎，因為他竟然用惶恐的神情看著他沒見多年的女兒，他的眼神真令我想起軒囝。

「我……我真係唔識你㗎。」他又退後了幾步，再道：「你想點？」

「唔好意思，其實我係見到討論區上講嘅嘢，所以想嚟見你一面。點知就見到你同朱老師嘈交，又話工都冇埋……」我溫柔地說：「我擔心你，驚你以後嘅路難行。」

「有……有心……」他道。

「你當我自言自語，你唔想聽可以當聽唔到，媽咪當年界人拋棄咗之後，嫁咗個好有錢嘅男人，我哋全家過得好幸福。」

惡魔面具

我說：「真係好彩我爸爸唔要我，如果唔係我都冇而家生活得咁好。」

「你……你講真嘅？」

「希望你一個人都可以得到幸福啦，係呢，你住幾多樓喫？」我又走近他問。

「咩……你點解咁問？」

「冇，媽咪話住得高望得遠，自然好多嘢都可以解脫。」我邊說邊定睛看著他一雙眼。

「嗯。」

「爸爸，你一個人周圍行要小心，討論區個話題咁多人傾，我諗條街一定好多人認得你。」我道：「快啲返屋企啦，好多嘢都會解決到。」

「嗯。」他茫然地看著我，看來就似是一個沒有靈魂的人。

「拜拜，爸爸，放心啦，我哋唔會再見。」我說完便重新戴上太陽眼鏡和口罩，頭也不回地離開。

28 對 話

　　我回家時順道到超級市場買了貓咪喜歡吃的巧克力蛋糕，也去餅店買了個小小的忌廉蛋糕給自己，畢竟今天是值得慶賀的日子，能見到爸爸，我的心情太好了。

　　回到家中，我先餵了貓咪，然後一邊吃著忌廉蛋糕，一邊在討論區瀏覽，卻竟然看到了令我震驚不已的事！

　　想不到，竟然有一個叫nnonno的網民拍下了爸爸和朱小琦在街上拉扯和在後街爭吵的情形，然後繼續大造文章，就爸爸失業又失戀一事說甚麼「熱烈地彈琴熱烈地唱」，最過分的是有留言說：「如果我係李鑑鑫，真係跳樓死咗佢算啦！」

　　我一直在討論帖上看網民的留言，突然竟見到有另一個叫毛毛的人說：「佢啲衰嘢點只搞人老婆，佢廿年前重拋妻棄女，個女一出世就冇爸爸！」

　　跟別人太太發生關係加上拋妻棄女的罪名，令爸爸的照片一夜間在網上瘋傳得更厲害，網民說要讓他永遠離開教育界，甚至有人說其他工種都不會聘用他。

　　我真擔心爸爸會看到這些過分的言論，真擔心他會難過，希望他會記著我剛才安慰他的說話。

惡魔面具

　　我足足花了數小時才總算看完網上關於爸爸的討論，但討論數目似乎還在快速增加中。

　　我疲倦地躺在床上，在失去意識前，我還是抱著手機在看，整個網絡上都是叫爸爸去死的謾罵。

　　一個失去工作和愛情的人，還要面對網絡世界的惡言，他會如何去處理？

　　我想著想著，便昏昏沉沉地睡去。

　　「叮！」朦朧間，我聽到手機傳來收到訊息的聲音，我艱難地睜開雙眼，手指頭緩慢地點按熒幕。

　　「Ｍｏｍｏ，我係Ｐａｔｒｉｃｋ，唔知你下星期忙完未？我好掛住Ｐｒｅｔｔｙ，好想快啲知多啲佢生前諗緊咩。」

29

没
有

29

沒 有

我沒有回覆他，而是再次疲倦地合上眼睛，重投夢鄉。

等到陽光灑在床上，身體被曬得暖和時，我才慢慢地睜開雙眼，享受著被日光喚醒的舒暢。

看見手機被放了在床上的枕頭旁，我才想起Patrick的訊息，我重新開啟熒幕，微笑著看他的訊息，但最終還是決定暫不回覆他。

我披著薄薄的被子坐了起來，把熒幕畫面轉到新聞網站，花了十分鐘仔細地瀏覽，卻沒有找到想看的新聞。

奇怪了。

而且我發現，才過了一夜，網上有關爸爸的討論就開始靜下來。

重新讀著那些討論內容，我終於禁不住留言：「我係李鑑鑫個女，你哋唔好再追擊我爸爸啦。雖然由細到大佢都冇照顧過我同阿媽，甚至冇見過我哋一面，但我好明白佢，係因為我一出世就生得太醜樣，佢接受唔到先離開，一切都係我嘅錯。據我所知，佢而家份工又冇咗，連朱老師都離開佢，佢咩都冇晒，已經好慘。」

惡魔面具

　　本來，我以為我這個留言會令網上的討論完全平息，想不到卻立即換來了回覆：「嫌自己個女醜樣所以拋妻棄女？佢重係人嚟嘅？」

　　「哇！簡直係人渣中嘅人渣，呢啲老豆唔值得個女幫佢求情！」

　　「失業失戀都便宜咗佢啦！呢啲人最好去死！」

　　甚至有人開了新的討論帖子：「偷情阿sir當年嫌親生女生得醜，賤到拋妻棄女！」

　　原本開始靜下來的討論，此刻竟然又死灰復燃，這真讓我始料不及啊。

　　我嘆了一口氣，實在沒法子再看下去，只好放下手機，起來到廚房預備食物給貓咪。

　　最近貓咪好像吃膩了巧克力蛋糕，我只好弄其他東西給牠吃，順道思考一些事情。

　　「嗯。」我餵牠吃東西時，牠只叫了一聲，牠真是一隻安靜的貓咪。

29 沒有

　　我捧著巧克力蛋糕返回房間,重新拿起手機發了一個訊息:「Patrick,我今晚晚飯後得閒,不如喺尖沙咀海傍見?」

　　「好!今晚見!」他立即回覆了我。

　　我又看了一會新聞,然後嘆了一口氣,再次放下了手機,爸爸的事確實有點困擾著我。

　　真想他快點擺脫煩惱呢!

　　我深呼吸了一口氣,嘗試不去再想他的事,挪動身子走到衣櫃前,從那些碎花裙子中挑選今晚約會時穿的衣服,最後,我挑選了一件淺粉色的雪紡碎花裙,那觸感柔軟極了,襯托在我雪白的肌膚上時,就像仙子降臨一樣。

　　我坐在鏡子前,仔細地化妝,就像那次見陳泰揚前一樣。

　　雖然我會戴上太陽眼鏡和口罩,但是我還是想修飾一下自己的容貌。

　　化好妝後,我打開電視轉到新聞台,就坐在梳化上呆呆地看著電視,等待時間過去,等待約會的時間到來。

惡魔面具

　　直到夜幕低垂，我已身處尖沙咀海傍的時候，還是沒有值得我關注的新聞報導。

　　我面向著大海吹著海風，對面的高樓大廈五光十色，夜景漂亮極了，活在這個美麗的香港中，應該人人都會感到幸福才對，我也應該有權利去追尋我的幸福。

　　「Momo。」有人拍了拍我的肩膀。

30

漫步

30 漫 步

我轉過身去,意料中的Patrick就在我眼前。

「Hello,Patrick。」我打了個招呼。

我們沿著海傍漫步,我真喜歡這種氣氛。

「Pretty真係一個好善良嘅女人,但係唔知點解佢成日都亂諗嘢。」我說。

「點解佢會以為我同個護士有婚外情?」他問。

我聳聳肩道:「我只知佢話你間診所有個護士生得好靚,性格又開朗,加上你成日加班,所以佢⋯⋯」

「唉,我真係一心一意愛Pretty,個護士自己都有男朋友,搞到佢畀啲網民追擊,嚇到佢辭職轉工,真係好對唔住佢。」

「佢辭咗職?」

「係,搞到佢咁麻煩,我真係唔好意思。」

「可能你都太善良,對其他女性都咁好,所以Pretty好冇安全感。」

「我重以為⋯⋯Pretty會明白我。」

惡魔面具

「你知唔知道⋯⋯雖然Pretty表面上好開朗，但係因為佢外表嘅問題，個心其實一直都好自卑？」

「你意思係⋯⋯佢一直都嫌自己醜樣？」

我點了點頭。

他重重地嘆了一口氣道：「我明明已經講過，佢最吸引人嘅係善良嘅內心，點解佢唔相信我？」

「但係，大部分人都係好膚淺，我好明白佢嘅感受。」我頓了一頓又道：「就好似我咁，生得醜樣，出街都怕畀人望到，所以只可以戴住太陽眼鏡同口罩。」

他停下了腳步看著我：「你哋唔可以咁諗，Momo你同Pretty一樣，都係好善良。」

我別過臉走到路邊的長椅上坐下，他也走來坐了在我身邊。

我幽幽地道：「你知嗎？我因為個樣嘅問題，連屋企人都嫌棄我，又搵唔到工，更加唔使諗識朋友。」

他定睛看著我，神情顯得十分哀傷，過了良久才道：「Pretty佢⋯⋯佢以前都講過類似嘅說話。」

30 漫步

我踢著雙腳，故作輕鬆地道：「所以，呢啲係只有我同Pretty先會明白嘅心情。」

他抿著嘴唇點了點頭，我們沉默看著大海，一時間也不知該說些甚麼。

過了半晌，他才重新開始了話題：「係呢，你話搵唔到工，有冇興趣嚟我診所返工？」

「吓？」我驚訝地回應。

「嗯，個護士辭咗職，反正我都要請返個。」

「但係我……」

「工作好簡單，唔使擔心。」

「唔係，我嘅意思係……我唔可以除低太陽眼鏡同口罩，咁點返工呢？」

「你唔好咁在意自己個樣啦，我覺得心地善良就夠。」他道。

我猛力地搖頭，帶著哭音說：「你果然係唔明白Pretty。」

惡魔面具

說罷我霍地站起來，急步向著海濱長廊的盡頭走去。

「Momo!」他大叫著我。

可是我沒有理會他，頭也不回地快步走去。

「Momo!」他追了上來。

「你唔明白，好似我同Pretty呢啲生得醜嘅人，就算幾咁善良都好，都係會界大部分人嫌棄！你以為你娶咗Pretty，就可以令佢快樂咩？佢個世界都只係得你，佢融入唔到社會。」我聲嘶力竭地喊著，然後呼了一口氣，才又哭著道：「更何況，我比Pretty生得更醜樣！」

我哭得肩膀都抽搐著，終於無力地伏在Patrick的肩膀上。

「Pretty。」他輕呼著。

「Patrick。」我輕呼著。

我的碎花裙擺在海風中吹拂，纏繞著我和Patrick的雙腿。

31

幫助

31 幫助

「Sorry!」我輕推開了他。

他也錯愕地後退了兩步,然後道:「對唔住,你同Pretty太相似。」

我發出了兩聲苦笑,淒酸地道:「如果你見到我個樣,你就唔會咁講。」

本來後退了的他,聽罷又重新向我走近,輕聲地道:「Momo,我知道我唔應該將對Pretty嘅感情投放落你度,不過請你畀我幫你,我唔希望Pretty嘅悲劇再次發生。」

我搖了搖頭:「你可以點幫我?我呢個樣,就算你畀份工我,我都唔敢返。」

Patrick柔聲地道:「我係一個整容醫生,就算你個樣係點,我都可以幫你變靚。」

我後退著再次搖了搖頭:「我個樣比Pretty更醜,甚至有啲人話我唔係生得醜,而係生得恐怖!」

「唔使擔心,我一定幫到你。」他又走近我,我們在海濱長廊的盡頭暗處,不知情的路人看來,我們就像是熱戀中的情侶一樣。

惡魔 面具

我別過臉說：「我咁樣整一定好貴，我⋯⋯我冇錢。」

他聽罷忍不住拍了拍我的頭頂道：「傻瓜，我唔收你錢。」

我抬頭看他，眼前這個男人真的太善良了。

我看了看四周，然後低下頭輕聲道：「你⋯⋯我怕你見到我個樣時會好驚。」

「哈哈！」他爽朗地笑了起來，接著一臉認真地看著我：「我係一個醫生，唔通你懷疑我嘅專業？我點會驚我嘅病人？」

我慌得立即揮了揮手道：「唔係咁嘅意思，我⋯⋯」我禁不住嘆了一口氣，開口說：「係咁，我除低太陽眼鏡同口罩畀你睇睇。」

「嗯。」他點了點頭。

我深呼吸著，再看看四周確認沒有途人在附近，才慢慢拉下我的太陽眼鏡和口罩。

我屏息靜氣看著Patrick，我們之間再沒有太陽眼鏡和口罩的阻隔。

31 幫 助

　　我看得出他的神情有點錯愕，但是卻極力隱藏著。

　　我垂下頭，突然想起自己過去二十年的人生，眼淚不停流了下來。

　　眼淚滑過我的臉，滴在淺灰色的地上，形成了幾個深灰色的圓點。

　　Patrick不發一言，大概他是太震驚了吧？

　　我重新戴上口罩和太陽眼鏡，才慢慢抬起頭問他：「連身為整容醫生嘅你，都覺得好恐怖，係唔係？」

　　他目瞪口呆地看著我，我又說：「但係Pretty就唔會咁，佢好善良，佢就算見到我真面目都冇特別反應，佢重話覺得我一啲都唔醜！」

　　他回過神來，結結巴巴地道：「我⋯⋯我唔係咁嘅意思，我只係太難過⋯⋯Momo，你相信我啦，我會幫你整好個樣！」

　　我擦了擦眼淚：「真嘅？」

　　「冇錯，你聽朝上嚟我診所，我幫你做個詳細檢查。」

惡魔面具

「Patrick……好多謝你。」

我知道，我的人生將要改寫了。

第二天一早，我餵過貓咪後，便穿上另一條碎花裙子出門來到了Patrick的診所。

我躺在床上，Patrick溫柔地脫下了我的太陽眼鏡和口罩，他微笑著說：「咁我而家開始檢查。」

我點點頭，瞄到站在他旁的護士一臉驚慌地看著我。

噴，待我完成手術後，就不用再承受這種目光了。

Patrick花了大半小時為我仔細檢查和講解，他還特別安排了盡快做第一次手術。

「你嘅額頭冇咩問題，可以唔使整，我哋首先會幫你整好個鼻，然後係顴骨、臉頰、嘴唇同下巴，最後至會做眼部嘅調整，分六次進行，完成晒大約需要九個月時間。」

我乖巧地點點頭道：「知道。」

幫 助

Patrick微笑著看我，眼神帶點憐惜。

我高興地離開診所，去買了貓咪最近愛吃的小籠包，回到家後興奮地對牠傾訴著要整容的事，牠卻一臉慵懶地看著我。

我沒再理會牠，逕自去執拾化妝桌上那堆寫滿字的紙張，一邊把紙張疊好一邊仔細地看著上面的字，眉頭不禁皺了起來。

我嘆了口氣，把本來要給貓咪的小籠包拿到客廳，邊吃邊看電視；我把電視轉到新聞台，終於看到一則報導：

前男教師失業失戀
難忍網絡欺凌跳樓亡

惡魔面具

32

細思極恐

細思極恐

　　一年後，我穿著碎花裙子坐在鏡子前，端詳著我那張被修飾得精緻無瑕的容貌，我真不明白自己從一出生到九個月前的那段日子，是如何忍受那圓圓凸起的雙眼、V字的嘴巴和扁塌的鼻子。

　　我現在終於可以微笑、大笑、噘嘴，眼睛更可以做到不同的眼神，我想做甚麼表情都可以，整張臉的輪廓絕對不比女明星遜色。

　　Pretty生前留著一頭深褐色的長曲髮，我也依樣到髮型屋造了一模一樣的髮型，但即使身穿著碎花裙，我也跟Pretty毫不相似，因為我比她漂亮得多了。

　　「好多謝你，Patrick。」我衷心地道。

　　「你已經講咗好多次啦，又請我食飯，使乜咁客氣呢？」他邊說邊慢慢仔細地切開碟上的牛排，相信他為我做手術時，也是如此的精細。

　　他把牛排送進口中，然後相當滋味地咀嚼著。

　　「你對我咁好，我真係唔知點報答你，雖然我父母冇好好教育我，但係我都知道『得人恩果千年記』呢個道理。」我邊說邊品嚐著眼前那塊三成熟的牛排。

惡魔面具

他突然沉默下來,過了半晌才道:「我記得Pretty都同我講過呢句說話。」

「對唔住。」我頓了一頓道:「如果Pretty知道你幫咗我一個咁大嘅忙,佢一定會好開心,佢最希望我得到幸福。」

他抬頭看著我,然後若有所思地把目光停留了在我攤在肩膀的曲髮上。

「Patrick?」我喚了喚他:「做咩發晒呆嘅。」

他搖了搖頭,卻沒有回答。

晚飯後,我們就像九個月前一樣,走在尖沙咀的海濱長廊,但這次我不再需要太陽眼鏡和口罩,途人或會對我注目,但也只因我的容貌太美。

我,變成了跟Patrick更匹配的女人。

我任由海風吹拂著我的長髮,髮尾撩動著Patrick的肩膀,他說:「Momo,好多謝你。」

「嗯?」我不明所以。

細思極恐

「你嘅善良，你嘅打扮，你嘅一言一語，都好似Pretty，呢九個月嚟，每次我見到你，每次同你傾偈，都覺得Pretty好似喺我身邊。」

「嗯，所以，我係Pretty嘅代替品？」我問。

「我唔係咁嘅意思，而係我透過幫你，我終於放低咗對Pretty嘅死嘅內疚，如果我當日唔係成日叫佢唔使整容，佢就唔會一直咁自卑，佢就唔會……」

我用力抱住他的腰，撲在他的懷裡說道：「唔好講啦！Pretty一定已經原諒咗你，佢一定想你都得到幸福。」

他環抱著我的肩膀，輕聲問：「你可唔可以成為我嘅幸福？」

我感到臉紅耳赤，不知為何腦海裡突然出現了陳泰揚和軒囝，這些沒用的男人，確實都比不上Patrick。

我輕推開Patrick，微笑著道：「你唔係話請我去你診所返工嘅咩？」

他笑說：「咁可以同時做我女朋友同下屬嘅。」

說罷我倆相擁著笑了起來，我從沒想過人生可以如此。

惡魔面具

　　就這樣，我跟那個協助Patrick替我做手術的護士成為了同事，三個月後，她卻因為一些小事辭職了。

　　新請回來的護士知道我是Patrick的女朋友，都說很羨慕我，既有美貌又有很好的男朋友，她這一生也不會知道，我以前的人生跟現在的實在有天淵之別。

　　我跟Patrick相處得很好，他的性格善良、隨和，我們走到哪裡都是令人艷羨的一對。他知道我小時候沒怎麼上過學校，就繳學費讓我去上不同的課程，我現在不但有漂亮的外表，內涵也日漸豐富起來。

　　在我們相愛一年後，Patrick跟我求婚了。

　　我發了個訊息給媽媽，告訴她以後不用再給我生活費，她有回覆我問我原因，但是我沒有回答。我把家裡打掃乾淨，扔掉了以前那些黑色的裙子，使用了在化妝桌上那堆寫滿字的紙，還把貓咪放回到當日第一次遇見牠時的街頭。

　　在披過華麗的婚紗後，我把一向住著的物業放租，並搬到Patrick的家，幸福地生活在一起。

　　有種人天生就是惡魔，但我不認為我是。

後

記

後 記

　　Ｍｏｍｏ打開了媽媽房間的門，一個女人坐在床上，努力地在紙上寫滿密密麻麻的字，她的臉色有點蒼白，雙腿異常地瘦削，顯然是久沒活動的後果。

　　「食嘢啦！」Ｍｏｍｏ放下了一碟小籠包在地上。

　　女人暫停了寫字，瞪了瞪她道：「明明有枱，點解唔擺喺枱？」

　　「你張相有貓耳朵嘛，我就冇見過貓咪坐喺枱前面食嘢。」Ｍｏｍｏ冷笑著。

　　「你幾時放我走？」女人平靜地問，手不自覺拉了拉圍在頸上的金屬頸圈，頸圈很粗，一端扣著鐵鏈，鐵鏈的盡頭被鎖在窗花上。

　　「篤姐……呀唔係，篤貓咪啊，等你寫完我嘅故事就放你走。」Ｍｏｍｏ說。

　　「你嘅故事係沒完沒了嘅，除非你死咗啦。」女人冷淡地回覆，接著重新執起鉛筆。

惡魔面具

「咁又係，我嘅人生而家先真正開始，我要同Patrick一直幸福到老。」Momo走近鏡子，欣賞著自己那張精緻漂亮的臉，然後拿著手機，左手舉起V字，食指點著自己的臉頰，「卡嚓」一聲自拍了一張可愛的生活照。

過了良久，她才不捨地把目光移到桌上，細看了幾頁寫滿字的紙，然後不滿地道：「我同Patrick嘅拍拖經歷，點可以輕輕帶過呢？我哋當中有好多浪漫嘅時光，重有佢向我求婚嘅情況呢？我唔係講咗畀你聽嘅咩？呢啲咁重要嘅事，點可以唔寫多啲？」

「咳咳！」女人乾咳了兩聲說：「你真係睇得書少，你唔知我一向唔擅長寫愛情故事嘅咩？如果要寫愛情，我可以介紹你搵唉瘋人。」

「篤貓咪，當日喺書展見到你，重以為你係寫愛情故事，乜唔係女作家都擅長寫愛情嘅咩？」Momo一邊用手指梳理著曲髮，一邊翻著那堆紙。

女人冷笑：「真係大錯特錯！」

後 記

「哈，不過你寫我之前上網識朋友嘅經歷，都寫得唔錯，啲讀者睇到一定會覺得我好可憐。唔……但係到寫Pretty嗰段，就寫得太奇怪啦，你咁樣寫，啲人會以為我全心謀害Pretty嘅。」

「噴！」女人不屑地看她：「乜你唔係咩？」

Momo裝模作樣地驚呼起來：「啊！你點可以咁講？我又唔係惡魔。」

女人學著她的語氣「啊」了一聲，再冷冷地道：「可惜呃唔到我呢！而且，你亦唔使旨意將你對其他人做嗰套用喺我身上，就算我幾唔夠瞓幾餓都好，都唔會咁易畀你影響到走去自殺。」

Momo怒瞪了她一眼，卻立即神態自若地說：「我最尊重識寫嘢嘅人，加上你幫我寫故事，我點會傷害你？而且你知唔知？不論係堅系樂怡、莪系芝蕫、軒団、高凡、Pretty定係我阿爸，我都係想佢哋唔好再憂愁難過啫。」

「咁Pretty呢？」女人打斷了她的說話：「佢係一個善良嘅人，而且佢本來係生活得好開心，邊有憂愁呢？」

惡魔面具

「佢？佢好自卑，只係佢自己唔知啫！」Momo理所當然地道。

女人嘆了一口氣：「咁個護士呢？佢只係有份幫手做你個整容手術。」

「佢辭咗職啫，講真啦，我而家有外在美又有內在美，我唔會做壞事……」她突然無意識地揮揮手，繼續道：「呵呵！應該話，我一向都唔做壞事㗎啦！」

女人翻了個白眼，冷嘲熱諷起來：「唔做壞事？哈！你唯一做嘅好事，就係令想強姦你嘅劉過雲自首。」

「哼！嗰次本來要寫三封信，估唔到寫第二封信時枝筆冇墨，搞到成件事錯晒。」Momo說。

女人繼續諷刺著她：「哈哈，但我諗啲讀者會好開心見到佢自首，而唔係自殺。」

「讀者？佢哋眼中見到我幸福就夠！篤貓咪，我真係好享受喺書入面做主角嘅感受，我要所有睇呢本書嘅人都可憐我、同情我，然後再為我得到幸福而開心，我要所有人都知道我呢個傳奇，由咩都冇到咩都有，衷心咁祝福我、羨慕我。」

 後 記

女人報以一個奇怪的眼神道:「嗯,啲人一定會祝福你。」

Momo轉身揚起了碎花裙,換了個話題:「嘻!係呢,出書要搵邊個呢?」她說罷從手袋取出了一部手機,是女人的手機。

她把手機遞給女人道:「既然個故事都就快寫完,你而家聯絡出版社啦。」

女人接過手機,在通訊錄上找到了謝先生。

「嗨,謝先生。」女人對著電話道,同時Momo做了個手勢要求女人打開手機的擴音功能。

「篤姐嗎?你話《失蹤航機》之後會寫個新故事,寫好未呢?」是謝先生的聲音。

「嗯,我寫緊一個勵志故事都唔錯,都差唔多寫好啦。」女人邊說邊看著Momo。

「勵志?你寫勵志會唔會太奇怪?係關於咩喋?」謝先生說。

惡魔面具

「係關於一個叫Momo嘅女仔點樣對抗悲傷嘅命運，最終得到幸福。」女人答。

「嗯，咁你電郵份稿畀我啦。」

「啊，但係，今次份稿係手寫，冇用電腦打。」

「吓？你真麻煩，不過都唔怕嘅，我可以搵我朋友養嘅馬騮打字。」

「係咁，我就將手稿寄去出版社啦。」女人說。

「好。」

掛線後，Momo伸手拿回了手機，並道：「咁咪幾好，我提供咗個題材畀你出多本書，如果唔係我，以你嘅能力，有排都未出新書啦！」

「嘖，係咁，你幾時放我走？」女人問。

「等你同出版社簽妥合約先。」Momo靠近女人，壓低聲線道：「你唔好整蠱做怪，如果本書出唔成，我隨時都會搵你返嚟。」

後 記

Momo說罷笑著離開房間，卻又回頭問了一句：「你頭先話擅長寫愛情故事嘅係……唉瘋人？」

女人沒好氣地「嗯」了一聲，然後Momo說：「好，見你咁幫手，今次碟小籠包就畀你食啦。」

Momo說完後便離開房間，女人翻開了書架上的一本心理學書，內裡提到當一個人疲倦、放鬆或受到情緒上的衝擊時，很容易會在無意識間被一些說話或音樂影響自己的思緒。這種現像可以被應用在廣告學上，曾經有一個品牌在不相關的影片中，插入顯示時間極短的品牌產品照片及宣傳語句，如果用肉眼看的話，是很難發現的，但該品牌的形象卻已深深植入影片觀眾的潛意識中，致使他們即使在商店第一次看到該產品，也覺得特別有親切感和好感。

有些音樂也是同樣道理，怪異的旋律容易令人有不適感，意志力會減弱，當音樂中頻密地加插了極短的訊息音效，那個訊息就會植入聽眾的潛意識，扭曲本來的思緒。

「當一個人疲倦、放鬆或受到情緒上的衝擊時……」女人喃喃自語地讀著書上的字，她已經不是第一次在這房間中讀著這本書，但還是抿著嘴唇自言自語，像是要重新確認當中

惡魔面具

的邏輯：「所以，Ｍｏｍｏ要人朝早４：２０起身，等對方唔夠精神；而對Ｐｒｅｔｔｙ，Ｍｏｍｏ就更加用咗音樂去擾亂佢嘅思緒，最後用埋自己嘅容貌去令佢驚嚇到失去理性；至於佢爸爸，Ｍｏｍｏ就用網民嘅唾罵去施加心理壓力，再混入網民中留言爆料，令事件平息唔到，佢爸爸受多重壓力加上見到自己個女嘅衝擊，心理已經被扭曲。」

女人再翻開一疊夾在書中的紙張，上面列印著一宗稱為尼崎事件的日本連環殺人案的資料。這宗殺人案的主犯是一個背景普通至極的婦人角田美代子，她竟然能用各種技巧去支配和去操控人心，令一些本來感情甚篤的親人互相殘殺，因她而死的人至少有七個。外人難以理解為甚麼死者生前都沒有反抗，更是乖乖地聽主犯的話去殺害自己的至親。

人心原來確是脆弱得如此荒謬，只要被掌握到心理的弱點，一點語言上或文字上的暗示就足以把奇怪的想法植入潛意識，繼而導致連自己都意料不到的結果。

女人放下書本，走到桌子前拿起了自己寫的手稿，細看著Ｍｏｍｏ跟堅系樂怡、莪系芝蕫、軒囝、高凡、Ｐｒｅｔｔｙ、Ｍｏｍｏ爸爸和劉過雲的對話。

後 記

　　這些對話或是Momo口述給女人筆錄，或是她直接把對話列印出來給女人。

　　女人仔細地逐字逐句去看，同時拿著筆在一些字眼下劃了線。

　　「將句子中每句嘅第一個字抽出，再連接成新句子，先係Momo嘅真正意思。」女人喃喃自語：「所以當對方嘅心理狀態已經跌入Momo嘅圈套，呢啲訊息就會植入潛意識。」

　　第六章：當堅系樂怡說有情敵的裸照時，Momo回覆：「<u>等</u>等，<u>佢</u>哋竟然發展到呢個地步啦？<u>出</u>面咁多男仔唔搵偏要搶人男友，<u>醜</u>女真係唔知醜字點寫！」
　　＞等佢出醜

　　第七章：堅系樂怡抱怨Momo害她被公開裸照，Momo答：「<u>不</u>過我都唔知會變成咁，<u>如</u>果我知，<u>自</u>然唔會支持你咁做，<u>殺</u>死我都唔會支持。」
　　＞不如自殺

　　第九章：Momo教莪系芝菫驅鬼：「<u>聽</u>住，<u>日</u>頭做就有用，<u>你</u>要而家開始，<u>去</u>望住佢張相道歉，<u>死</u>者就會安息。」
　　＞聽日你去死

惡魔面具

第十三章：Momo說在軒仔死後，自己才想起他在社交網站提及過心臟有問題的事。

女人苦笑了一下：「所以，軒団係唯一一個病死嘅人，死於心臟病，只不過……Momo早就估到自己個樣會嚇到佢病發……」

第十五章：Momo被高凡質疑用假照片，她回答：「**好！希**望你收到片段時，**望**真啲，**你**就會相信我，**死**都會相信我。」
>好希望你死

第十六章：Momo用恐怖的樣子和音調拍片唱了一首歌給高凡聽：「你將離開我，飄到遠方去，那裡是個好地方，橘黃的天空，輕雨灑身邊，花草躺腳下，你的身體晃啊晃、晃啊晃、晃啊晃……」

第二天，Momo知道快要下雨，感到興奮又期待，而高凡最後在一個下著雨的黃昏，於公園上吊自殺死了。

第十八章：Momo寫第二封信給劉過雲時，第一句是「**自**問人生中有甚麼是最重要的呢？」然後因為藍色的原子筆寫不出來，便換了黑色原子筆繼續寫：「**首**先當然是要做個知錯能改的人啊！」

後 記

　　由於Momo以寄信去接觸劉過雲，她本來是計劃把訊息藏在三封信中，令劉過雲產生好奇，一步一步投入到信中內容；她給劉過雲的第一封信的第一句是「<u>你</u>好！」，第二封信的第一句是「<u>自</u>問人生中有甚麼是最重要的呢？」，本來她是要在第三封信以「殺」字開首的，但是因為第二封信中的一點顏色上的失誤，反令劉過雲接收了第二句的「首」，變成「你自首」這三個字。

　　第二十二章：Momo對Pretty不只用了疲勞轟炸、音樂催眠、誘導，還打扮得像Pretty那樣，令意志力薄弱的Pretty沒法分清幻想與現實，也沒法分辨自己和Momo。Momo最後在酒店房間的鏡子前跟Pretty一字一句說：「<u>不</u>如諗下，<u>如</u>果Patrick真係有外遇，<u>你</u>會唔會不惜一切，<u>死</u>都要復合？」
　　＞不如你死

　　第二十八章：Momo跟爸爸說：「<u>爸</u>爸，<u>你</u>可以唔認我，<u>死</u>嗰日都唔認我都得，<u>可</u>能咁樣你會好過啲……<u>完</u>全唔使怕我唔開心，<u>結</u>果係點我都唔會介意。」
　　＞爸你死可完結

　　女人倒抽了一口氣，心想：「如果唔係惡魔，又點會有呢個能力？」

惡魔面具

　　她呆了半晌，才又重新執起筆，邊寫邊喃喃自語起來：「快啲寫完個故事，簽埋份出版合約，Momo先會放我走，至於讀者睇完後會覺得Momo可憐抑或可怕，就唔關我事啦。」

　　她努力地在紙上寫著，嘴巴不停發出了古怪的輕呼：「嗯……嗯……嗯……嗯……嗯……嗯……嗯……嗯……嗯……嗯……嗯……嗯……嗯……嗯……嗯……嗯……嗯……嗯……嗯……」

星 夜 出 版
Starry Night Publications

惡魔面具

作者：　　　　　張篤（棟你個篤）
出版經理：　　　望日
設計排版：　　　Tech Us Company Limited (techus.hk)
封底及內頁圖片：Freepik.com

出版：　　　　　星夜出版有限公司
　　　　　　　　網址：www.starrynight.com.hk
　　　　　　　　電郵：info@starrynight.com.hk

香港發行：　　　春華發行代理有限公司
　　　　　　　　地址：九龍觀塘海濱道 171 號申新證券大廈 8 樓
　　　　　　　　電話：2775 0388
　　　　　　　　傳真：2690 3898
　　　　　　　　電郵：admin@springsino.com.hk

台灣發行：　　　永盈出版行銷有限公司
　　　　　　　　地址：231 新北市新店區中正路 499 號 4 樓
　　　　　　　　電話：(02)2218-0701
　　　　　　　　傳真：(02)2218-0704

印刷：　　　　　嘉昱有限公司

圖書分類：　　　流行讀物 / 奇幻小說
出版日期：　　　2019 年 12 月初版
ISBN：　　　　　978-988-79774-1-4
定價：　　　　　港幣 88 元 / 新台幣 390 元

本故事純屬虛構，與現實的人物、地點、團體等無關。

版權所有 不得翻印
© 2019 Starry Night Publications Limited
Published and Printed in Hong Kong